Installés dans un décor de ...., deux des plus grands vignobles de Californie, le Domaine de Louret et le Vignoble Ashton, et se livrent une concurrence acharnée, depuis que l'argent et le goût du pouvoir ont divisé les membres de la famille...

Mais laissez-moi vous présenter les Ashton d'un peu plus près et, en particulier, Spencer Ashton, l'homme par qui tout a commencé. En 1963, cet homme ambitieux et sans scrupules a quitté Crawley, Nebraska, pour aller faire fortune en Californie, n'hésitant pas à abandonner sa femme, Sally, et leurs jumeaux encore nourrissons.

Arrivé à Napa Valley, il a épousé Caroline Lattimer, l'héritière d'un immense vignoble et d'une banque d'affaires extrêmement prospère. Ayant réussi à s'attirer les bonnes grâces de son beau-père, Spencer parvient à devenir l'héritier de tous ses biens et, à la mort de ce dernier, il se retrouve à la tête d'une fortune colossale. Il quitte alors Caroline, et leurs quatre enfants, et se remarie à Lilah Jensen, dont il aura trois enfants. Abandonnés par leur père, et spoliés de tous leurs biens, les enfants de Spencer ont donc presque tous une revanche à prendre sur la vie.

Devenus adultes, le destin va leur permettre de rétablir la vérité sur leurs origines. Et surtout faire naître des liens beaucoup plus forts que ceux du sang : les liens de l'amour.

KATHIE DeNOSKY

Kathie DeNosky vit dans le sud de l'Illinois, en compagnie de son mari et, dès qu'elle le peut, elle parcourt le pays dans tous les sens à la recherche de nouveaux décors pour ses romans. Et quand elle trouve le cadre idéal, elle n'adore rien de plus que d'y transposer ses héroïnes, et de leur faire vivre les histoires les plus intenses.

Passionnés et piquants, les romans qu'elle écrit sont plébiscités par les lectrices : presque tous sont des best-sellers, et nombre d'entre eux ont été récompensés par des prix prestigieux. Ce qui donne encore plus envie à Kathie de continuer à imaginer de formidables histoires d'amour !

Cet ouvrage a été publié en langue anglaise
sous le titre :
A RARE SENSATION

Traduction française de
AGNÈS JAUBERT

HARLEQUIN®

est une marque déposée du Groupe Harlequin
et Passion® est une marque déposée d'Harlequin S.A.

Originally published by SILHOUETTE BOOKS,
division of Harlequin Enterprises Ltd.
Toronto, Canada

KATHIE DeNOSKY

A deux pour la vie

Collection *Passion*

éditions**Harlequin**

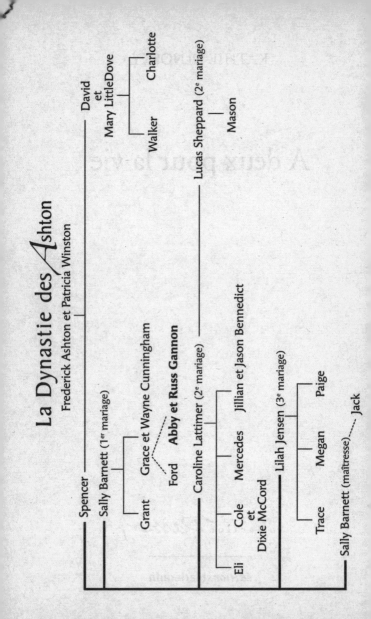

La Dynastie des Ashton

Frederick Ashton et Patricia Winston

Spencer

Sally Barnett (1er mariage)

Grant

Grace et Wayne Cunningham

Ford · **Abby et Russ Gannon**

Caroline Lattimer (2e mariage)

Eli

Cole et Dixie McCord

Mercedes

Jillian et Jason Bennedict

Lilah Jensen (3e mariage)

Trace

Megan

Paige

Sally Barnett (maîtresse) · Jack

David et Mary LittleDove

Walker

Charlotte

Lucas Sheppard (2e mariage)

Mason

PRÉSENTATION DES PERSONNAGES

Les Ashton ne forment pas vraiment une famille comme les autres : leur seul point commun, c'est Spencer Ashton. Un homme sans états d'âme, qui a bâti sa fortune sur le mensonge et qui a spolié les siens.

Mais si les enfants de Spencer, nés de trois mariages différents, ne se connaissent pas, le destin, lui, va les mettre sur le même chemin...

Ce mois-ci, faites connaissance avec :

ABBY ASHTON : grâce aux recherches de son oncle Grant, elle a découvert qu'elle est la petite-fille de Spencer Ashton. Alors que ce dernier refuse de la rencontrer, ses cousins Ashton, issus du deuxième mariage de Spencer, l'accueillent à bras ouverts au Domaine de Louret. Elle décide alors d'y passer l'été, avant de retourner dans le Nebraska ouvrir son cabinet de vétérinaire. Mais la rencontre avec Russ Gannon va bouleverser ses plans.

RUSS GANNON : à la mort de ses parents, il a été recueilli par Caroline Lattimer et son mari, et élevé comme leur fils. Mais Russ préfère se tenir dans l'ombre de la famille : il n'a jamais oublié ses origines, et passe le plus clair de son temps à travailler dans les vignes ou à soigner les chevaux. L'arrivée au Domaine d'Abby Ashton va toutefois lui donner envie de sortir de sa traditionnelle réserve.

1963
Crawley, Nebraska

La voiture s'éloignait du cimetière de Crawley, Nebraska.

Spencer Ashton, au volant, jeta un regard en coin vers les deux bébés qui hurlaient sur les genoux de sa passagère. Et dire qu'il était marié à cette femme ! Difficile d'imaginer épouse plus pathétique... Comme il avait hâte de ne plus avoir à la supporter, elle et les regards d'admiration éperdue dont elle le couvrait en permanence ! Sans parler de ses deux braillards de jumeaux : il n'en pouvait plus de leurs hurlements continus. Et encore, Grant n'était pas le pire. Lui, au moins, se taisait de temps en temps. Grace, en revanche... Avec ses cris stridents et ininterrompus, cette gamine transformait sa vie en un véritable enfer. Un enfer dont il avait bien l'intention de s'échapper dès que possible.

Il jeta un coup d'œil dans le rétroviseur de son pick-up : les fossoyeurs finissaient de combler la tombe toute fraîche de son père. A présent que ce dernier avait succombé à une crise cardiaque, il était libre : libre de se débarrasser de Sally, la femme que son tyran de père l'avait contraint à épouser parce qu'elle était enceinte ; libre de prendre le large pour aller vivre ses propres rêves, de laisser Crawley, le Nebraska, Sally et les jumeaux aussi loin derrière lui que sa vieille Ford et les cent dollars qu'il avait en poche le lui permettraient.

— Ne peux-tu pas faire taire cette gosse ? grondat-il tandis que les hurlements de la fillette atteignaient leur paroxysme.

— Elle fait ses dents, expliqua Sally de cette voix chantante que Spencer ne pouvait plus supporter.

Embrassant le front du bébé, elle reprit :

— Allons, allons, Gracie, calme-toi, ma chérie. Tu sais bien que papa n'aime pas te voir souffrir.

Spencer ravala la boule de haine qui lui montait à la gorge chaque fois qu'il entendait le mot « papa ». C'était peut-être lui qui avait engendré ces deux geignards, mais jamais il n'avait été leur père. Et il ne le serait jamais.

Il prit son virage et s'engagea dans le chemin poussiéreux qui menait à la ferme des Barnett, les parents de Sally. Ceux-ci, après avoir assisté à l'enterrement, avaient décidé d'aller faire un tour à Crawley. Tant mieux : voilà qui allait grandement faciliter son départ. Au moins, il n'aurait pas à supporter les regards affligés dont ses beaux-parents l'enveloppaient depuis le jour où, contraint de convoler avec Sally, il avait emménagé chez eux.

Après avoir garé son pick-up, il en descendit et se dirigea d'un pas décidé vers la maison qu'il considérait aujourd'hui comme sa prison. Sans un regard en arrière pour vérifier si la jeune femme le suivait, sans lui proposer de l'aider pour porter les jumeaux, il grimpa les marches du perron de la véranda et ouvrit la porte d'entrée. Quatre à quatre, il monta l'escalier qui menait à l'étage et, une fois dans la chambre que Sally et lui partageaient depuis leur nuit de noces, il attrapa un sac de voyage en cuir râpé sur la plus haute étagère de l'armoire.

— Spencer, que fais-tu ? demanda sa femme, essoufflée d'avoir porté ses bébés seule jusqu'au premier étage.

Elle allait bien devoir s'habituer : c'était l'une des nombreuses choses qu'elle devrait faire sans son aide, désormais, songea-t-il sans émotion.

— Je pars ! lui répondit-il avec brusquerie.

Quel soulagement de pouvoir enfin prononcer ces mots à haute voix ! La tête lui en tournait presque. N'était-ce pas le moment qu'il attendait depuis le jour de leur mariage ?

— Où vas-tu ?

Cette voix stridente lui faisait l'effet d'une craie crissant contre un tableau noir.

— Le plus loin possible de toi et de tes mouflets ! répliqua-t-il.

Il savait pertinemment que cette réponse allait la meurtrir jusqu'au plus profond de son âme. Et il s'en moquait bien : que lui importait, après tout, de faire souffrir cette femme ? Les marmots et Sally n'étaient-ils pas l'unique raison qui, depuis quinze mois, le retenait de mettre ses projets à exécution ?

Sally s'était effondrée à ses pieds, en larmes. Si seulement elle pouvait arrêter de sangloter et de hoqueter ainsi ! C'était franchement insupportable, songea-t-il en refermant la fermeture Eclair du sac de voyage. Tant pis pour le reste de ses affaires, il aurait bien le temps d'en acheter d'autres en Californie.

Pressé de quitter Sally et ses rejetons aux cris perçants, il se rua hors de la chambre. Sally lui emboîta le pas, mais Spencer ne prit pas la peine de se retourner : il avait la ferme intention de ne plus jamais regarder en arrière. Même si, songea-t-il, il allait essayer de garder un lien avec son jeune frère : au fond, il aimait bien ce garçon.

Hélas, David avait toujours fait preuve d'un sentimentalisme idiot. Tout à l'heure, au cimetière, Spencer lui avait bien proposé de partir avec lui, mais le gamin avait tout bonnement refusé. Son jeune frère ne semblait pas pouvoir imaginer vivre ailleurs qu'au Nebraska. Pourtant, après la saisie de la ferme familiale qui avait provoqué la crise cardiaque de leur père, il ne leur restait plus rien. Mais David s'était apparemment mis dans la tête de repartir de zéro dans une nouvelle ville, sans doute un trou comme Crawley.

Alors que Spencer s'apprêtait à franchir la porte d'entrée, la voix brisée de Sally vint interrompre le fil de ses pensées :

— Mais... ce sont tes enfants... Spencer. Ne représentent-ils rien... pour toi ?

Il fit volte-face et lui décocha un sourire plein de morgue. Elle s'agrippait au pilastre, comme si c'était la dernière chose qui lui permettait de tenir encore sur ses pieds.

— Strictement rien ! rétorqua-t-il. En ce qui me concerne, c'est comme si tes deux braillards et toi n'aviez jamais existé.

Spencer la regarda s'affaisser au pied de l'escalier, secouée de sanglots. Ce spectacle lamentable lui arracha un hochement de tête dégoûté. Après avoir fait claquer la porte derrière lui, il se dirigea en sifflotant vers son

12

pick-up, balança son sac sur le siège du passager et se glissa derrière le volant. Dorénavant, il était un homme libre et rien ni personne ne l'empêcherait de vivre la vie qu'il voulait vivre. La vie qu'il méritait.

1.

Février 2005
Napa Valley, Californie

Abigail Ashton sortit de l'ancienne remise à attelages aménagée où elle logeait, et, renversant la tête en arrière, laissa les chauds rayons du soleil lui caresser le visage. Quel bien-être ! C'était tout simplement divin !

Décidément, le climat de la Californie en février n'avait vraiment rien à voir avec celui du Nebraska d'où elle arrivait. Lorsqu'elle avait pris l'avion à Scottsbluff hier matin, la température ne dépassait pas trois degrés et une couche de trente centimètres de neige recouvrait le sol. Ici, en revanche, il faisait bien vingt degrés de plus, et l'air de Napa Valley était presque doux en comparaison.

Pas étonnant que Grant Ashton, son oncle, ait décidé de prolonger son séjour californien. Bien sûr, le but premier de son voyage avait été de retrouver son père, Spencer Ashton, qu'il n'avait pas vu depuis quarante ans. Et si la rencontre n'avait toujours pas eu lieu, malgré tous ses efforts, ce climat à lui seul suffisait à retenir n'importe quel visiteur.

Abby, songeuse, avait les yeux perdus sur les hectares de vignoble qui s'étendaient derrière *Les Vignes*, la propriété de celle qui avait été la seconde femme de Spencer, Caroline Lattimer.

Abby était de tout cœur avec Caroline : après avoir divorcé de Spencer qui s'était approprié la quasi-intégralité de la fortune des Lattimer, cette dernière s'était remariée avec Lucas Sheppard et, jusqu'à l'arrivée de Grant le mois dernier, elle avait toujours tout ignoré de l'illégalité de son premier mariage.

Quelle honte ! songea Abby en hochant la tête avec dégoût. Elle ne supportait pas la façon abjecte dont Spencer Ashton, son grand-père, s'était comporté. Comme par hasard, lorsqu'il avait épousé Caroline, il avait omis de mentionner que, non content d'avoir abandonné sa famille au Nebraska, il n'avait même pas pris la peine de divorcer de sa première femme, Sally.

Alors, franchement, leur hôtesse n'avait aucune raison de leur faire des amabilités, à elle et à Grant, et encore moins de leur témoigner de l'amitié. Ne ravivaient-ils pas le souvenir douloureux de Spencer Ashton ?

Pourtant, malgré le choc qu'avait été pour elle cette nouvelle, Caroline s'était comportée comme la grande dame qu'elle était : l'oncle Grant étant le fils de la première union de Spencer, elle avait insisté pour lui offrir l'hospitalité.

En effet, pour Caroline, rien n'était plus sacré que la famille, quelles que soient les circonstances. Et puis, Grant devait absolument faire connaissance avec ses demi-frères et sœurs, les enfants qu'elle-même avait eus avec Spencer : Eli, Cole, Mercedes et Jillian. Mais aussi Mason Sheppard, le benjamin de cette fratrie, le fruit de son remariage avec Lucas.

Abby balaya du regard l'étendue des terres soigneusement entretenues. Outre sa réaction pleine de classe et de courtoisie, Caroline avait vraiment fait preuve d'une grande générosité en les invitant, l'oncle Grant et elle, à rester aussi longtemps qu'il leur plairait pour visiter Napa Valley.

Néanmoins, elle-même se faisait du souci pour l'oncle Grant. Celui-ci avait beaucoup misé sur la rencontre avec son père, pensant que ce face-à-face lui permettrait enfin de comprendre ce qui l'avait poussé à abandonner sa première famille. Mais tout comme il refusait de revoir les enfants issus de son union avec Caroline, Spencer refusait d'accorder la moindre minute de son temps à son fils aîné.

Tracassée, elle prit la direction du petit lac qui s'étendait derrière l'ancienne remise. Pour sa part, elle se fichait bien de rencontrer ce grand-père si peu digne d'estime. Dire qu'il n'avait eu aucun scrupule à abandonner sa toute jeune femme et des jumeaux de huit mois au Nebraska, pour en épouser une autre en Californie, et cela sans même prendre la peine de divorcer au préalable ! Pas plus qu'il n'avait hésité à quitter cette dernière pour fonder une troisième famille avec sa secrétaire : non, vraiment, un tel homme ne valait franchement pas la peine d'être connu.

Et puis, elle préférait mille fois savourer sa liberté si récemment acquise. Après avoir travaillé d'arrache-pied à l'école de médecine vétérinaire, ne venait-elle pas de décrocher son diplôme ? Elle avait donc bien l'intention de profiter de chaque minute de ses premières vacances depuis des années. Ainsi, elle rentrerait à Crawley complètement détendue et prête à se lancer à corps perdu dans sa nouvelle carrière.

Un sentiment de satisfaction mêlé d'excitation la gagna. A la fin du printemps, elle aurait enfin réalisé le rêve qu'elle caressait depuis qu'elle avait douze ans : elle exercerait comme vétérinaire, dans sa propre clinique, spécialisée pour les gros animaux.

Un sourire aux lèvres, elle s'engagea dans l'allée conduisant aux écuries, et, d'un pas décidé, se dirigea droit vers le bâtiment aux murs blanchis à la chaux et aux persiennes vertes : un vrai paradis pour des amoureux de chevaux ! Elle brûlait d'impatience d'en visiter l'intérieur.

Aux deux extrémités du bâtiment, les portes étaient ouvertes pour permettre à l'air de circuler. Abby pénétra à l'intérieur et laissa son regard s'accoutumer à l'obscurité. Ce qui s'offrit alors à sa vue lui coupa le souffle : cette écurie était un véritable palace pour chevaux. Jamais, même dans ses rêves les plus fous, elle n'avait imaginé une telle splendeur !

Chaque stalle était divisée en deux parties : la partie inférieure, couverte de lambris de bois d'épicéa, était surmontée d'une ouverture à barreaux noirs, conçue pour une ventilation optimale. Les larges portes à doubles battants permettaient un accès facile à l'intérieur des boxes et, si le battant supérieur était ouvert, le cheval pouvait satisfaire sa curiosité à loisir en y passant la tête.

Ce qu'un hongre rouan, de toute beauté, s'empressa justement de faire quand Abby passa devant lui. Elle s'arrêta pour caresser les naseaux soyeux de l'animal et, tandis qu'elle lui grattait le front, un nouveau détail lui sauta aux yeux : à l'intérieur des stalles, les lambris de bois étaient protégés par des pans d'acier inoxydable, facilement démontables pour être désinfectés.

Décidément, les choix qu'avaient faits les Sheppard pour assurer le bien-être de leurs animaux comblaient d'aise à la fois le vétérinaire et l'amoureuse des chevaux. Oui, elle était très favorablement impressionnée !

Perdue dans des rêves d'aménagements similaires pour sa ferme du Nebraska, elle perçut soudain un mouvement furtif à l'autre extrémité de l'écurie qui la tira de ses pensées. Elle vit alors un homme coiffé d'un chapeau de cow-boy à larges bords, vêtu d'une chemise en chambray et d'un jean. Tandis qu'il ouvrait la porte de l'une des stalles et y entrait, un petit sourire se dessina au coin des lèvres d'Abby : il semblait tout droit sorti d'une grange du Nebraska plutôt que de cette région de vignobles.

Mais lorsqu'elle découvrit l'état de la jument grise qu'il était en train de faire sortir de la stalle, son sourire s'évanouit brusquement. De toute évidence, l'animal souffrait profondément de la jambe arrière gauche.

— Quel est le problème ? demanda Abby, en se dirigeant d'un pas vif à leur rencontre.

Sans lui accorder un regard, l'homme se pencha pour examiner la jambe blessée.

— Je ne sais pas comment elle a fait son compte, mais Marsanne a réussi à se couper le boulet.

— Je vais jeter un coup d'œil. Je pourrai peut-être faire quelque chose.

Secouant la tête, il se redressa de toute sa hauteur.

— Je préfère qu'on ne la touche pas en attendant l'arrivée du vétérinaire.

Lorsqu'il se tourna vers elle, Abby, le souffle coupé, sentit son pouls s'affoler, échappant à tout contrôle. Celui qui la dévisageait de l'autre côté du cheval n'était pas juste bel homme, il était tout simplement sublime. Quelques mèches d'un blond foncé s'échappaient de son couvre-chef et lui barraient le front ; il avait les traits fins, et une barbe naissante recouvrait ses joues. Quant à son regard, jamais elle n'en avait vu d'aussi bleu, ni d'aussi perçant. Ce cow-boy était tout simplement à se damner !

Elle se rendit compte qu'elle était en train de le dévisager, comme une écolière l'aurait fait avec son premier amoureux. Allons, voilà qui ne lui ressemblait pas ! Elle se força à réagir et, contournant la jument, jeta un œil à la blessure. Se penchant sur les jambes arrière de l'animal, elle fit rapidement le bilan des dégâts.

— La plaie n'est pas aussi profonde qu'elle le paraît, annonça-t-elle. Ni les ligaments ni les tendons ne sont atteints : il ne sera pas nécessaire de faire des points de suture. Et si vous alliez me chercher la trousse de premiers secours, maintenant ?

Elle se redressa et balaya le sol du regard. Parfait : le système d'écoulement des eaux était sain. Il ne serait pas nécessaire de faire sortir le cheval à l'extérieur pour le traiter.

— Pouvez-vous également apporter le tuyau d'arrosage ? reprit-elle. Nous devons rincer la blessure afin de réduire l'inflammation. Ensuite, je pourrai poser un pansement.

— Une seconde, ma petite dame ! Il est hors de question que vous touchiez à ce cheval !

L'air soudain très contrarié, il contourna l'animal pour atteindre Abby et, les mains posées sur ses épaules, il la força à reculer.

— Je vais téléphoner au vétérinaire et vous allez gentiment retourner d'où vous venez, la maison des Sheppard ou ailleurs, annonça-t-il en hochant la tête.

20

Au contact de ces larges paumes sur ses épaules, elle sentit un frisson d'excitation lui parcourir le dos. Il lui fallut une bonne dose de concentration pour l'ignorer mais, heureusement, cela ne lui demanda pas un effort surhumain. Elle avait beau se trouver en face du plus bel homme qu'elle ait jamais croisé en vingt-quatre années d'existence, elle n'était certainement pas le genre de femme à céder facilement à quelque chose d'aussi stupide qu'une attirance physique. Pas plus qu'elle n'avait l'intention de se laisser congédier aussi cavalièrement.

— Excusez-moi, je n'ai pas saisi votre nom, se contenta-t-elle de répondre, prenant grand soin de dissimuler son irritation.

— Russ Gannon, se présenta-t-il, en laissant ses mains retomber le long de son corps.

Il se détourna, mais Abby posa les doigts sur son bras pour le retenir. Le contact de ses muscles bandés sous sa chemise la troubla plus que de raison, et elle se sentit soudain près de perdre le souffle. Refoulant son émoi à grand-peine, elle décida de se concentrer sur la jument.

— Ravie de vous rencontrer, Russ. Je m'appelle Abigail Ashton. *Docteur* Abigail Ashton, vétérinaire. Mais vous pouvez m'appeler Abby.

— Vous êtes vétérinaire ? interrogea-t-il d'un air sceptique.

Manifestement, elle n'avait pas encore gagné sa confiance.

— Oui. Et spécialiste des gros animaux, compléta-t-elle avec détermination. Ça vous va ? Maintenant, allez me chercher la trousse de premiers secours et le tuyau d'arrosage. J'ai un cheval à soigner.

Russ, incrédule, dévisagea la beauté aux cheveux auburn qui jetait ses ordres comme un sergent instructeur. Non, décidément, cette femme ne ressemblait en rien aux vétérinaires qu'il connaissait. Aucun ne possédait ces yeux d'un vert de la couleur des sous-bois au printemps, et encore moins ce visage aux traits délicats, si pur, si parfait, qu'il aurait pu faire la couverture d'un magazine de mode.

Pourtant, il n'était pas encore au bout de ses surprises : lorsqu'elle se pencha pour examiner la blessure de Marsanne, il faillit se trouver mal à la vue de ses ravissantes petites fesses bombées. Diable ! Rares étaient les vétérinaires dont la silhouette pouvait provoquer une émeute ou lui rappeler avec une telle force qu'il n'avait pas eu d'aventure depuis bien longtemps.

— Ne restez pas planté là ! s'exclama-t-elle impatiemment. Il faut soigner cette blessure. Et apportez-moi aussi de la vaseline ! Je vais devoir graisser son talon pour prévenir l'irritation.

Il obtempéra et, faisant volte-face, alla lui chercher les objets demandés. Pourquoi diable permettait-il à cette femme de lui donner des ordres ? C'était lui qui était habitué à commander, pas à obéir. Il devait être en état de choc, c'était la seule explication possible.

Et pour commencer, d'où diable sortait-elle ? Il connaissait tous les Ashton des *Vignes*, il avait entendu parler de tous leurs parents ou presque, mais « Abigail Ashton », cela ne lui disait strictement rien.

Hochant la tête d'un air pensif, il s'affaira à réunir ce qu'il devait lui rapporter. Une chose était sûre : s'il l'avait déjà rencontrée, il lui aurait été impossible de l'oublier. N'avait-il pas toujours eu un faible pour les rousses ? Et avec ses cheveux couleur cannelle et son corps de rêve, le Dr Abigail Ashton était une vraie bombe.

— Pourquoi avez-vous mis tant de temps ? demanda-t-elle lorsqu'il la rejoignit.

— Vous a-t-on déjà dit que vous étiez du genre dictateur en jupon ? grommela-t-il en lui tendant les objets requis.

— C'est ce que ne cesse de me répéter mon frère, Ford.

Elle retira sa veste en jean, releva les manches de son pull bleu, puis rejeta derrière ses oreilles une mèche de cheveux qui s'échappait de sa queue-de-cheval.

— Et vous, reprit-elle, on vous a déjà dit que vous n'étiez pas du genre rapide ?

Russ la dévisagea, interloqué. Puis il partit d'un grand éclat de rire. Manifestement, Abby Ashton n'avait besoin de personne pour se défendre contre les plus teigneux.

— Et maintenant, que diriez-vous d'une trêve jusqu'à ce que j'aie fini de soigner cette jument ? demanda-t-elle, le visage traversé par un large sourire.

Le cœur de Russ s'arrêta presque de battre. Il lui fallut respirer un grand coup pour le relancer. Si, quand Abby Ashton donnait des ordres, elle était redoutable, lorsqu'elle souriait, elle était d'une beauté à couper le souffle.

— Que vous arrive-t-il ? reprit-elle. Vous n'avez pas vraiment l'air dans votre assiette.

L'air décontracté de la jeune femme avait fait place à une expression inquiète.

Il tressaillit. Etait-il si transparent que ça ? Décidément, il était temps qu'il aille faire un petit tour à Napa. Il avait besoin de faire une conquête : une aventure sans lendemain avec une fille consentante lui permettrait sûrement d'assouvir ce désir qui le taraudait soudain.

— Tout va très bien, mentit-il.

— Parfait ! Dans ce cas pourriez-vous m'indiquer où trouver de quoi soigner cette pauvre jument ?

— Non, ne bougez pas, je vais m'en occuper, répondit-il en tournant les talons sans lui laisser le temps de protester.

Il avait besoin de mettre un peu de distance entre eux. Chaque fois qu'elle lui décochait l'un de ses sourires mortels, il se sentait envahi par des sensations redoutables, et son cœur se mettait à battre à coups redoublés. Il fallait vraiment qu'il reprenne le contrôle de la situation…

Une heure plus tard, sous le regard de Russ, Abby finissait d'appliquer un cataplasme sur le boulet de la jument, avant de l'enrouler d'un bandage pour le maintenir en place. Marsanne, qui faisait preuve d'une grande docilité, se laissait soigner sans broncher.

— Demain matin, je passerai vérifier l'évolution de la blessure et j'en profiterai pour lui poser un pansement neuf. Mais je pense que tout ira bien, affirma la jeune femme en se relevant.

Elle caressa la croupe de la jument. Russ, la gorge sèche, déglutit. Quel effet auraient ses mains délicates sur sa peau ? Son cœur battait la chamade. Fichtre ! Que lui arrivait-il donc ? Il la connaissait depuis à peine plus d'une heure et il fantasmait déjà sur ses caresses ? Il avait vraiment besoin de faire une virée en ville pour boire une bonne bière bien fraîche et trouver une fiancée d'un soir… et pas nécessairement dans cet ordre, d'ailleurs.

Une fois qu'elle eut rabaissé les manches de son pull et passé sa veste en jean, elle se tourna vers lui :

— J'ai été ravie de vous connaître, Russ.

Machinalement, il prit la main tendue, mais au moment où leurs paumes se frôlèrent il comprit qu'il venait de commettre une sérieuse erreur de jugement. Une décharge électrique lui traversa le bras comme une boule de feu qui l'enflamma de part en part avant de venir se loger sous sa ceinture.

— A bientôt, parvint-il à bredouiller d'une voix troublée.

— Vous êtes sûr que vous vous sentez bien ? demanda-t-elle en laissant vivement retomber sa main.

Sa voix tremblante et le rose qui lui était soudain monté aux joues indiquaient qu'elle avait ressenti exactement la même chose que lui. Parfait ! Au moins, il n'était pas le seul à se sentir complètement ébranlé.

— Oui, tout va bien, répondit-il en réprimant un sourire. Et vous ?

Elle releva le menton, redressa ses épaules graciles et contourna la jument.

— Impeccable ! répliqua-t-elle en s'éloignant en direction de la porte de l'écurie.

Russ la suivit des yeux et étouffa un grognement : cette femme avait des jambes à faire se damner un saint ! D'ailleurs, son corps se chargeait de lui rappeler qu'il était loin d'en être un…

Quel idiot il faisait ! songea-t-il en ramenant Marsanne dans son box et en se dirigeant vers les stalles de ses deux chevaux, Blue et Dancer. Décidément, il était grand temps de se reprendre en main. Même si cette femme était prête à s'offrir une petite aventure de vacances, lui ne l'était pas.

Premièrement, Abby était une Ashton, et Russ ne se permettrait jamais de décevoir Caroline et Lucas, de quelque façon que ce soit. Il avait bien trop le sens de la loyauté pour ça, même si son honneur passait par quelques sacrifices...

Deuxièmement, que diable une femme aussi intelligente et aussi belle qu'Abby pourrait-elle bien trouver à un homme qui n'avait rien d'autre à offrir que son tour de main pour faire pousser la vigne et son talent au rodéo ?

2.

— Merci pour la visite, Mercedes, déclara Abby alors
qu'elle entrait dans la salle de dégustation du Domaine
de Louret en compagnie de la directrice du marketing
et des relation publiques.

Mercedes Ashton, le fille aînée de Spencer et de
Caroline, lui sourit :

— Oh, mais ce n'est pas fini. Le meilleur reste à
venir. Assieds-toi, je reviens tout de suite, conclut-elle
en désignant une petite table à côté d'une immense baie
vitrée.

Abby obéit. Décidément, le romantisme de l'endroit
l'émerveillait. Si le mobilier de bois précieux et les
lumières tamisées contribuaient grandement à créer
cette ambiance si dépaysante, la vue époustouflante de
la baie ouverte sur les vignobles y était pour beaucoup.
Devant ces coteaux vallonnés qui s'étendaient à perte de
vue, elle avait l'impression d'avoir été transportée dans
le sud de la France d'un coup de baguette magique.

Mercedes revint, portant un plateau d'argent sur lequel
se trouvaient du fromage et des verres remplis de leur
grand cru classé, le Louret.

— Le meilleur moment de la visite d'un vignoble est la dégustation de ses fruits, annonça-t-elle d'un air réjoui.

Après s'être fait expliquer par sa nouvelle amie quel usage faire de ses sens pour apprécier la clarté, le bouquet et le corps du vin, Abby prit un morceau de fromage et constata en secouant la tête :

— Je ne m'étais jamais rendu compte que la production de vin demandait autant de travail. Ni que le déguster était un tel art !

— C'est incontestablement un peu plus élaboré que de ramasser quelques grappes et d'en faire du jus, s'esclaffa Mercedes en faisant tourner le chardonnay dans son verre. En hiver, à part tailler les vignes, entretenir le matériel et décider quels ceps devront être remplacés au printemps, les choses sont plutôt calmes ici. On laisse le vin vieillir. En revanche, à la fin de l'été et au début de l'automne, lorsque nous commençons le pressage du raisin, nous vivons à un rythme effréné.

— Le « pressage du raisin » ? répéta Abby.

Elle avait déjà compris que les viticulteurs avaient leur propre jargon.

— C'est ainsi que nous appelons la récolte, expliqua Mercedes. Cela commence aux vendanges et recouvre tout le processus de fabrication du vin. C'est le moment où Eli et Russ font vraiment du sport !

— Russ Gannon ? laissa échapper Abby.

Avec un hochement de tête affirmatif, Mercedes lui lança un regard curieux :

— Tu l'as rencontré ?

— Brièvement, répondit Abby en haussant les épaules, l'air faussement dégagé. Il était à l'écurie ce matin, et j'en avais conclu que c'était là qu'il travaillait.

— Quand il n'est ni dans les vignes, ni parti à l'un de ses rodéos, c'est l'endroit où l'on est presque toujours sûr de le trouver, approuva Mercedes. Mais, officiellement, Russ est le maître de chai du vignoble. Il est très compétent, et Eli se repose sur lui pour pratiquement tout ce qui concerne la récolte et la vinification.

— Il fait du rodéo ? Quelle est sa spécialité ? s'enquit Abby.

Elle adorait ce sport. Lorsqu'elle était au lycée, il lui était même arrivé de concourir dans l'épreuve de course autour des tonneaux. Mercedes resta songeuse :

— Il n'en parle pas beaucoup, mais d'après Eli, il pratiquerait la monte de taureaux à cru. Mais c'est tout Russ, reprit-elle après une pause. Il reste très discret sur ses activités.

— Le genre mystérieux, commenta Abby en souriant.

— Réservé, plutôt, soupira Mercedes. Pauvre Russ, il n'a pas eu la vie facile. Ses parents sont morts dans un accident de voiture quand il avait quinze ans.

— Oh ! C'est affreux ! s'écria Abby.

Evidemment, les circonstances étaient différentes, mais n'avait-elle pas elle aussi grandi sans ses parents ? Grace Ashton n'avait jamais été une mère pour Ford et elle : elle n'avait pas pris la peine de les élever, ne les avait même pas aimés, et avait d'ailleurs fini par les abandonner. Bien sûr, grâce à l'oncle Grant qui les avait élevés comme ses propres enfants, ils n'avaient jamais manqué d'affection, mais rien, hélas, ne remplaçait un père et une mère.

— Comme c'est triste ! s'exclama-t-elle, du fond du cœur.

Mercedes approuva :

— C'est à ce moment-là qu'il est venu vivre avec nous. Son père et Lucas étaient très amis depuis le lycée et, lorsque Russ est devenu orphelin, maman et lui l'ont accueilli chez eux.

— Quelle générosité !

Plus elle en apprenait sur le compte de Caroline et de Lucas Sheppard, plus Abby se rendait compte qu'ils étaient tous les deux des êtres exceptionnels.

— Et quel traumatisme pour lui de voir son père et sa mère disparaître ensemble d'une façon aussi tragique ! reprit-elle.

— Ça c'est sûr, approuva Mercedes, avant de se lever pour poser son verre vide sur le plateau. Je ne suis toutefois pas aussi proche de lui que mon demi-frère Mason : lui n'a qu'un an de moins que Russ, et ils sont les meilleurs amis du monde.

— Je ne pense pas avoir rencontré Mason, remarqua Abby en se levant pour aider à débarrasser la table.

— Il est en France, où il est censé étudier de nouvelles techniques de vinification, répondit Mercedes en riant, tout en se dirigeant vers la sortie.

— Ai-je raté un épisode ? s'enquit Abby en lui emboîtant le pas. Je ne comprends pas pourquoi le séjour de Mason en France semble t'amuser autant.

Les lèvres de Mercedes esquissèrent un petit sourire en coin :

— Tu connais la vieille fable sur « l'élève qui finit par surpasser le maître » ?

— Laisse-moi deviner, répondit Abby. Il veut essayer de produire du meilleur vin ?

— C'est du moins ce qu'il dit, répondit Mercedes avec un sourire plein d'affection. Mais je pense que c'est juste une excuse pour parcourir la France, sac au

30

dos, avant de prendre un poste au Domaine de Louret, avec Eli et Russ.

Manifestement, elle adorait son jeune frère.

— Je suis sûre que cela permettra à Russ de participer à davantage de rodéos, remarqua Abby malgré elle.

Pourquoi diable parlait-elle tout le temps de lui ?

— J'ai l'impression que Russ t'a vraiment fait grande impression, constata Mercedes en l'enveloppant d'un regard inquisiteur. Tu ne serais pas intéressée par hasard ?

— Tu plaisantes ou quoi ! rétorqua Abby un peu trop vivement. Je n'ai pas de temps dans ma vie, ni pour lui ni pour un autre !

— Vraiment ? C'est pourtant un homme de qualité. Et, ce qui ne gâche rien, il est aussi beau qu'un Adonis. D'ailleurs, juste pour information, il est libre, ajouta Mercedes d'une voix taquine.

Devant la petite lueur espiègle qui brillait dans son regard, Abby comprit qu'elle n'était pas dupe de son air faussement détaché.

— J'ai travaillé trop longtemps et trop dur pour obtenir mon diplôme : je ne peux pas me permettre de me laisser distraire maintenant ! Et puis, outre le fait que je n'ai pas de temps à consacrer à une relation, Russ habite à mille cinq cents kilomètres de chez moi. Je serai bien trop occupée par mon cabinet pour me permettre de vivre une histoire à distance.

— Si tu le dis, répondit Mercedes tout en lui lançant un nouveau sourire entendu.

Mais pourquoi diable protestait-elle de façon aussi véhémente ? Il était évident qu'elle cherchait surtout à se convaincre elle-même, et non Mercedes. Elle ressentit soudain le besoin de se retrouver seule.

31

— Je me sens un peu lasse, annonça-t-elle. Je crois que je vais faire une petite sieste avant le dîner.

Sur ces mots, elle serra sa nouvelle amie dans ses bras :

— Merci encore pour la visite et pour la dégustation, j'ai passé un excellent moment.

— J'en suis ravie, répondit Mercedes en l'embrassant à son tour. Je ne te verrai probablement pas au dîner, je sors avec un ami.

— Amuse-toi bien !

Songeuse, Abby reprit la direction de ses appartements. Qu'est-ce qui avait bien pu lui passer par la tête ? Pourquoi avait-elle ainsi parlé de Russ ? Elle n'aurait jamais pu prévoir le trouble qui s'était emparé d'elle. Elle avait besoin d'un peu de temps pour recouvrer ses esprits.

Toute sa vie, elle s'était concentrée sur son but : devenir vétérinaire. En travaillant d'arrache-pied à l'école, elle y était arrivée, et pendant toutes ces années, elle avait intentionnellement évité de s'engager dans une relation amoureuse. C'était une distraction dont elle n'avait pas besoin. Et surtout un risque qu'elle ne pouvait se permettre de prendre : elle redoutait par-dessus tout de devenir un jour comme sa mère, une croqueuse d'hommes qui, tant qu'elle pouvait poursuivre sa course égoïste aux plaisirs, se fichait de tout et de tous. Et cette angoisse qu'elle gardait tapie au plus profond d'elle-même n'était pas près de disparaître.

Pourtant, comme malgré elle, elle avait senti son estomac se serrer lorsque Mercedes lui avait parlé de Russ Gannon... Bien sûr, il lui était arrivé d'éprouver une certaine attirance pour des garçons au lycée ou à l'université, mais c'était la première fois qu'un homme la troublait à ce point. Que tout cela était donc perturbant ! Beaucoup trop à son goût.

Avec un soupir elle entra dans la dépendance aménagée qu'elle partageait avec l'oncle Grant et monta l'escalier.

« Te voilà face à de sérieux problèmes, Abigail Ashton, murmura-t-elle. A commencer par un certain Russ Gannon, cow-boy de rodéo et viticulteur de son état. »

Lorsque, quelques jours plus tard, Russ arriva à l'écurie pour nourrir les chevaux et nettoyer les stalles, il ne fut pas surpris d'y trouver Abby. Trois fois, ces quatre derniers jours, elle était arrivée avant lui. Et que cela lui plaise ou non, il commençait à attendre ces rencontres matinales avec impatience.

— Vous êtes encore plus lève-tôt que d'habitude, constata-t-il, en avançant vers l'endroit où, manches relevées, elle s'affairait à changer les pansements de Marsanne.

Elle se redressa et lui adressa un sourire qui fit battre son pouls à coups redoublés. Il déglutit. Non seulement elle avait une chevelure rousse de toute beauté, mais elle possédait ce qui était sa seconde faiblesse chez une femme : des fossettes. Curieux ! Il ne les avait jamais remarquées auparavant.

— Je suis bien plus matinale que ça quand je suis chez moi.

Elle s'essuya les mains sur l'arrière de son jean. Il étouffa un juron : que ne donnerait-il pas pour pouvoir caresser ses jolies petites fesses ! Indifférente à son trouble, elle se remit à rire et reprit :

— Dans une ferme, on ne fait la grasse matinée que pour deux raisons : ou bien on est cloué au lit par la fièvre, ou bien il neige si fort qu'il devient impossible de se frayer un chemin jusqu'à la grange. D'ailleurs, la plupart du temps, même cela ne nous arrête pas.

— Et vous avez souvent des tempêtes de neige ? parvint-il à demander une fois qu'il eut retrouvé sa voix.

Il était étrangement contrarié à l'idée qu'elle ait à affronter un tel climat. En quoi cela le dérangeait-il autant, après tout ? Ce n'était pas à lui de se soucier de son sort, et cela ne le serait probablement jamais.

— Une à deux fois par an, répondit-elle avec un haussement d'épaules. Le reste du temps, je suis debout bien avant le lever du soleil pour m'occuper de mes chevaux, avant d'aider oncle Grant, Ford et Buck, notre homme de main, à soigner les autres bêtes.

— Du bétail ?

Elle acquiesça d'un signe de tête tout en se penchant pour enrouler une bande neuve autour de la jambe de la jument.

— Notre cheptel s'élève à environ deux cents vaches de la race *Black Angus*.

— En fait de ferme, c'est plutôt un ranch, non ?

— Ranch ou ferme, comme il vous plaira de l'appeler, répondit-elle en se relevant pour lui faire face une fois le pansement fixé. A l'époque de mes grands-parents, il ne s'agissait que d'un terrain de quelques acres. Mais lorsque l'oncle Grant a pris la relève, il a racheté deux fermes en faillite et la propriété s'étend aujourd'hui sur des milliers d'hectares. Nous y cultivons principalement du maïs, et nous louons une petite partie des terres à d'autres exploitants agricoles. Le reste s'élève à environ cinq cents hectares de pâturages pour les chevaux et le bétail.

Comme il aimerait parcourir à cheval ces grandes plaines du Nebraska ! songea-t-il non sans une pointe d'envie. Là-bas, les cultures s'étendaient à perte de vue jusqu'à la ligne de l'horizon, offrant un ciel infini. Il adorait travailler la terre. N'aurait-il pas tout donné pour posséder sa propre exploitation agricole ?

— Combien de chevaux avez-vous ? reprit-il en détachant Marsanne.

— Huit, répondit-elle en déroulant les manches de sa veste en jean. Mais trois seulement sont à moi, les autres appartiennent à l'oncle Grant et à Ford.

Tandis qu'Abby rangeait la trousse de premiers secours, il entraîna sa jument vers le corral afin de pouvoir nettoyer la stalle vide et, en revenant, il eut la surprise de constater qu'Abby s'était déjà mise à l'ouvrage.

— Hé ! Vous n'avez pas besoin de faire ça, la gronda-t-il gentiment en tendant le bras vers la fourche qu'elle tenait.

Ignorant son geste, elle continua à entasser la litière sale dans une brouette.

— Ça ne me fait rien, je préfère être occupée de toute façon, fit-elle valoir. Les vacances, au bout d'un moment, cela devient plutôt ennuyeux.

Manifestement, elle pensait vraiment ce qu'elle disait.

— Alors d'accord ! s'écria Russ. Pendant que vous finissez ici, je vais mettre les autres chevaux et le poney au pré, et j'en profiterai pour rapporter de la litière fraîche.

Lorsqu'il revint, Abby avait déjà nettoyé trois stalles et s'apprêtait à attaquer la quatrième.

— Vous travaillez vite, constata-t-il en lui prenant la fourche des mains. Mais maintenant c'est à mon tour ! Si vous vous reposiez un moment ?

— Je ne suis pas fatiguée, protesta-t-elle.

— Je vous propose un marché : vous remontez prendre votre petit déjeuner aux *Vignes*, et ensuite, vous me rejoignez ici. Entre-temps, j'aurai sellé Blue et Dancer, et nous pourrons aller faire une balade à cheval.

Il vit ses beaux yeux émeraude s'illuminer de joie, et elle lui décocha un sourire qui fit bondir son cœur dans sa poitrine.

— Marché conclu, cow-boy ! s'exclama-t-elle en se précipitant vers l'aile principale. Je ne serai pas longue.

Tandis qu'il regardait ses ravissantes jambes disparaître derrière les portes de l'écurie, Russ laissa échapper le soupir qu'il retenait depuis son arrivée. Bon sang, cette femme était capable de lui faire frôler la crise cardiaque d'un simple sourire ! Il allait devoir se méfier : cette jolie Abby risquait rapidement de menacer son équilibre...

Il piqua la fourche dans la paille et son regard se perdit dans le vague. Il ne cherchait pas une relation stable, et surtout pas avec une femme qui vivait à mille cinq cents kilomètres de lui. Sa vie était ici, à travailler pour Lucas et pour Caroline Sheppard. Après l'avoir recueilli à la mort de ses parents, le couple ne lui avait-il pas toujours fait sentir qu'il faisait partie de la famille ? Bien sûr, ils ne lui avaient jamais rien demandé en retour et, pourtant, il avait l'impression d'avoir une dette envers cette famille adoptive à la générosité sans borne.

Toujours plongé dans ses pensées, il commença à remplir la brouette. Inutile de s'emballer : dans une semaine ou deux, Abby retournerait dans le Nebraska pour ouvrir sa clinique vétérinaire et reprendre ses occupations à la ferme familiale.

Ce qui ne les empêcherait pas, naturellement, de passer quelques bons moments ensemble et de profiter l'un de l'autre aussi longtemps qu'elle serait ici. Il pourrait lui faire visiter le coin et, de son côté, elle pourrait lui raconter sa vie dans le Nebraska ou lui parler de ce ranch aux milliers d'hectares qu'il aurait rêvé d'exploiter.

Ravi d'avoir trouvé une solution satisfaisante pour l'un comme pour l'autre, il finit de nettoyer les stalles en sifflotant.

Tant qu'il n'y avait pas d'implication sentimentale, ils ne risquaient pas de se faire souffrir mutuellement. Un sourire se dessina au coin de ses lèvres. Aussi longtemps qu'il garderait cela en tête, tout irait pour le mieux...

En voyant Abby chausser un étrier et se mettre en selle sur Dancer, Russ sentit l'excitation le gagner. Comme ses petites fesses moulées dans son jean étaient adorables ! Et que dire de ses longues jambes déliées à califourchon sur le dos du cheval ? Avait-il vraiment eu une bonne idée en lui proposant de l'accompagner dans cette promenade équestre ? L'image obsédante de l'effet que lui feraient ses longues jambes enroulées autour de lui s'imprégna dans son esprit.

— Quel âge ont vos chevaux ? s'enquit-elle, interrompant soudain le fil de ses pensées érotiques.

— Dancer a cinq ans, répondit Russ en enfourchant le hongre rouan. Je le monte parfois en rodéo, pendant les épreuves de lutte avec les bouvillons. Vous connaissez, je suppose : Dancer et moi maintenons le bouvillon en ligne à proximité de mon coéquipier, le « lutteur ». Ce dernier doit saisir l'animal par les cornes, se laisser glisser de son propre cheval, planter ses talons dans le sol pour freiner la bête et renverser celle-ci en lui tordant le cou. Cela donne lieu à de belles mêlées dont l'homme sort le plus souvent vainqueur.

Il tapota amicalement le cou de sa monture et enchaîna :

— Et Blue a six ans. Nous participons parfois à des épreuves de capture au lasso ensemble.

Tandis qu'ils s'éloignaient en trottinant de l'écurie, elle reprit, souriante :

— Mercedes m'a raconté que vous montiez des taureaux en rodéo. En revanche, elle ne m'a pas dit que vous pratiquiez aussi la capture au lasso. Vous participez fréquemment à des compétitions ?

Ainsi, Abby s'était renseignée sur son compte auprès de la famille Ashton ? Il sentit une immense bouffée de plaisir l'envahir.

— J'essaye de prendre part à autant de rodéos que mon travail au vignoble le permet. Le reste du temps, je dois me contenter de monter Blue et Dancer aux alentours.

— Ils sont tous les deux répertoriés à l'*Association des Quarter Horses* ?

— Oui, répondit-il sans s'étonner de sa question.

Quoi de surprenant, en effet, à ce qu'Abby ait su nommer la race de ses chevaux ? Etant donné son expérience en matière d'animaux, il était tout naturel qu'elle en connaisse les caractéristiques.

— En réalité, Dancer a été baptisé Stormy Jack Dancer et Blue, Diablo Blue Lightning.

— De très beaux noms pour de très belles bêtes, murmura-t-elle.

Pendant plusieurs minutes, ils chevauchèrent en silence. Quelle cavalière elle faisait ! songea Russ, admiratif. Son assurance tranquille prouvait qu'elle avait passé de nombreuses heures en selle.

— Et vos chevaux ? De quelle race sont-ils ? demanda-t-il.

— Mixtes, pour la plupart. Magic est le résultat du croisement d'une jument *quarter horse* et d'un étalon arabe. C'est celui que je monte le plus. Ma jument, Angel, est principalement *quarter horse*, mais nous ne connaissons pas ses autres lignées. Elle est le fruit des avances qu'est allée faire la jument de l'oncle Grant à l'étalon de notre voisin le plus proche ! s'esclaffa-t-elle.

Au son de sa voix mélodieuse et de son éclat de rire cristallin, il sentit comme une décharge électrique lui parcourir le dos. Il dut s'éclaircir la voix avant de pouvoir parler :

— J'avais compris que vous aviez trois chevaux.

— Le troisième est un mustang que j'ai adopté au *Bureau of Land Management*, confirma-t-elle avec un signe d'assentiment. Il répond au nom de Crazy Horse.

— J'ai entendu parler de ce programme d'adoption de chevaux. L'avez-vous appelé ainsi en l'honneur du célèbre chef indien ?

— Non. Ce cheval est vraiment fou, expliqua-t-elle, d'un ton enjoué. C'est Ford qui l'a nommé ainsi : il a décrété que Crazy Horse apportait une toute nouvelle signification au mot « indomptable ». Comme tous les mustangs, il est rebelle, méfiant et je suis la seule qui puisse l'approcher. Et je l'aime comme il est, même sachant qu'il ne sera jamais possible de le monter.

— Vous adorez votre vie au ranch, on dirait, constata Russ en tirant légèrement sur les rênes de Blue.

Elle arrêta Dancer à côté de lui et répondit :

— C'est exact. Evidemment, vivre dans une région de grandes plaines présente des inconvénients. L'hiver, par exemple, lorsque la température chute et que la bise vous glace au point que vous avez l'impression d'avoir été transporté dans l'Arctique. Ou encore en été, quand la chaleur est si lourde, si humide, que vous avez la sensation de vivre dans un sauna. Pourtant, je ne pourrais vraiment pas imaginer vivre ailleurs.

Après avoir fait le tour du vignoble, ils étaient revenus devant le petit lac, à une centaine de mètres derrière les écuries.

— Voulez-vous vous asseoir et parler un peu ? suggéra-t-il.

— Si vous voulez.

Ils mirent pied à terre, attachèrent leurs chevaux et se dirigèrent tranquillement vers un bosquet de chênes qui ombrageait la berge. Une fois installée à son côté sur le tapis de gazon, elle s'enquit :

— Et vous, Russ ? Avez-vous toujours habité Napa Valley ?

— Non. J'ai passé les quinze premières années de ma vie à une centaine de kilomètres d'ici, dans un ranch à proximité de Red Bluff.

— Je suis désolée pour vos parents, dit-elle en posant une main réconfortante sur son bras. Je sais par Mercedes que vous les avez perdus dans un accident de voiture.

A la chaleur de sa paume sur son bras, et à la sincérité de son ton, il sentit son cœur se serrer.

— C'était il y a onze ans, répondit-il avec un signe de tête affirmatif. Lucas m'a amené ici juste après l'enterrement, et depuis, je vis aux *Vignes*.

Le silence s'installa entre eux. Il finit par demander :

— Et vos parents, Abby ? Vous parlez beaucoup de votre oncle, de votre frère, mais jamais de vos parents.

— C'est parce qu'il n'y a pas grand-chose à en dire.

Il s'en voulut de sa maladresse : ce sujet ne semblait pas lui être très agréable. Pourquoi diable n'avait-il pas tenu sa langue ?

— Je suis désolé, avança-t-il. Cela ne me regarde pas.

Fasciné par son manège, il la regarda attraper un brin d'herbe, le déchirer en filaments, le jeter, en attraper un autre.

— Ce n'est pas vraiment que je ne veux pas en parler, finit-elle par dire. C'est simplement qu'il est plutôt gênant de raconter à quelqu'un que votre mère était la traînée de la ville et que vous n'avez pas la moindre idée de l'identité de votre père.

Russ s'attendait à tout, sauf à entendre ça.

— Voilà une façon bien sévère de parler de celle qui vous a donné la vie.

— Pourtant, c'est la vérité.

Fuyant son regard, ses joues soudain empourprées trahissant son embarras, elle reprit :

— Spencer Ashton a abandonné sa première femme, Sally, avec des jumeaux de huit mois, Grant et Grace. A la mort de cette dernière, ils ont été élevés par les parents de Sally. Grace a fait les quatre cents coups. Elle avait seize ans à la naissance de mon frère, Ford, et dix-huit ans à la mienne. Mais elle n'a jamais voulu révéler à mes grands-parents ni à l'oncle Grant, son frère jumeau, l'identité de notre père... ou de nos pères. Mais ce n'est pas vraiment cela l'important, reprit-elle avec un soupir. Le pire est qu'elle nous a bien fait comprendre qu'elle ne voulait pas de nous : elle n'a jamais cessé de répéter que si nos arrière-grands-parents n'avaient pas insisté pour qu'elle reste et assume ses responsabilités de mère, elle se serait enfuie de Crawley à la première occasion.

Russ n'avait reçu que de l'amour de ses parents. Comment une mère avait-elle pu se comporter de manière aussi inhumaine vis-à-vis de ses propres enfants ? Il en croyait à peine ses oreilles.

— Votre mère et votre oncle ont été élevés par leurs grands-parents ?

— Oui, acquiesça Abby. Ma propre grand-mère, Sally, est morte d'un cancer quand ses jumeaux avaient douze ans. C'était donc la première femme de Spencer.

— Je sais d'expérience que le fait de perdre une mère ou un père n'est jamais facile, constata Russ d'une voix douce. Cela peut exacerber le côté rebelle de certains individus.

— Cela aurait pu être le cas si Grace avait été une autre. Mais je n'ai pas souvenir de la moindre preuve d'affection maternelle de sa part. Oncle Grant dit qu'elle était le portrait craché de leur père, Spencer, reprit-elle avec un haussement d'épaules. Il paraît qu'il est le narcissisme incarné. Exactement comme l'était sa fille.

— Vous en parlez comme si elle avait disparu ? l'interrogea Russ en lui prenant la main.

— C'est le cas, répondit-elle, le regard perdu au loin, sur l'autre rive du lac. Grace nous a abandonnés lorsque Ford avait huit ans et moi six. Nous avons eu de la chance dans notre infortune : oncle Ford nous aimait, et il nous a élevés comme si nous étions ses propres enfants. Il s'est toujours davantage comporté en père qu'en oncle avec nous.

Son sourire plein d'affection prouvait à quel point elle tenait à cet homme.

En revanche, plus Russ en apprenait sur le compte de Grace Ashton, plus il comprenait pourquoi Abby n'aimait pas parler d'elle.

— Où est partie votre mère ?

Abby eut un petit rire amer :

— Qui sait ? Un jour, elle est sortie faire des courses, et n'a plus jamais pris la peine de réapparaître à la maison. Nous sommes presque sûrs qu'elle a levé le pied avec un représentant de commerce qui venait régulièrement à *Crawley General Store*.

— Vous connaissez son nom ? Si vous le retrouvez, vous pourrez peut-être la pister.

— Nous savons juste qu'il s'appelle Wayne Cunningham, mais c'est à peu près tout. Oncle Grant a fait des recherches auprès de l'entreprise pour laquelle ce triste individu travaillait, expliqua-t-elle en repoussant une mèche de son visage au teint de porcelaine. Mais cela n'a rien donné. Il se serait volatilisé en même temps que Grace sans rapporter les bénéfices de sa dernière vente.

— Intéressant spécimen ! commenta Russ d'un ton sarcastique. J'ai bien l'impression que votre mère est tombée sur un pauvre type avec ce Wayne.

Il n'était pas du genre à porter des jugements sur autrui, mais, cette fois-ci, il n'avait pu s'en empêcher.

— Oncle Grant reste très discret sur le sujet, mais Ford et moi pensons qu'ils se méritent sans doute mutuellement.

— Je suis vraiment désolé de la façon dont tout cela a tourné, déclara Russ en l'attirant dans ses bras dans un geste qui se voulait simplement réconfortant.

Mais lorsqu'il sentit le doux corps si féminin d'Abby pressé contre le sien, il tressaillit, et toutes ses bonnes intentions s'évanouirent en fumée : impossible de retenir le baiser qui lui brûlait les lèvres. C'était comme s'il avait voulu empêcher le soleil de se coucher à l'ouest.

3.

Les yeux perdus dans la profondeur du beau regard émeraude, Russ se pencha vers Abby et lui donna un baiser avec une infinie douceur. Au contact de ces lèvres soyeuses, il sentit son cœur tambouriner dans sa poitrine. Mais lorsque, maladroitement, il enroula ses bras autour de son cou et qu'elle enfonça ses doigts dans les mèches rebelles qui lui tombaient dans la nuque, il sentit son pouls s'affoler, échappant à tout contrôle.

Délicatement, il suivit de la langue les contours pulpeux de sa bouche, lui arrachant un soupir d'aise et lorsque ses lèvres s'ouvrirent comme une fleur, il y plongea avec délice, se délectant de son goût sucré. La sentant répondre timidement à ses baisers, il s'enflamma de plus belle, tous les sens en éveil. Sans quitter ses lèvres un instant, il l'allongea sur l'herbe tendre et recouvrit son corps du sien. Quel ravissement de la sentir ainsi tout contre lui ! Jamais, en vingt-six ans d'existence, une femme ne lui avait inspiré un désir aussi subit, aussi violent, que celui qu'Abby attisait en lui à cet instant précis.

Incapable de contenir le feu qui montait en lui, il pressa son corps contre celui d'Abby, comme pour ne faire plus qu'un avec elle. Il sentit le corps de la jeune femme répondre à son étreinte, et cela ne fit qu'augmenter son désir. Il fit glisser une main le long de ses reins, et l'entendit gémir de plaisir. Encouragé, il s'écarta légèrement, passa une main sous la veste d'Abby et se mit à la caresser avec passion.

Sans cesser de l'embrasser, il redoubla ses caresses, de plus en plus intenses, suscitant des soupirs de plaisir chez la jeune femme. Mais brusquement, alors qu'il l'attirait encore un peu plus contre lui, il la sentit se figer, et tenter de se libérer de son étreinte.

— Je vous en prie, arrêtez, dit-elle, d'une voix qui frisait la panique.

Russ retira aussitôt sa main et, libérant ses jambes, l'aida à se rasseoir.

— Qu'est-ce qui ne va pas ?

Lui avait-il fait mal ? Impossible. Il savait encore contrôler sa fougue, malgré l'échauffement de ses sens. De plus, il était certain de lui avoir donné du plaisir : ne l'avait-il pas sentie gémir sous ses caresses ?

— Je... je dois partir, dit-elle en se levant d'un bond.

Et avant qu'il ait pu la retenir, elle s'était précipitée sur Dancer qui paissait à quelques mètres de là.

Totalement déconcerté, il la vit enfourcher le hongre et prendre la direction de l'écurie. Il se releva à son tour, attrapa les rênes de Blue et, une fois en selle, la suivit. Mais déjà, Abby disparaissait au galop de l'autre côté du bâtiment. Lorsqu'il atteignit la porte à double battant, Russ mit pied à terre et fit rentrer Blue. Quel pouvait bien être le problème ? Il s'approcha d'elle, bien décidé à ne pas la laisser partir sans avoir obtenu de réponse.

— Abby, que s'est-il passé tout à l'heure ? lui demandat-il en la rejoignant.

Elle était en train de desseller sa monture.

46

— Je vous en prie, pas maintenant, répondit-elle, fuyant son regard.

A l'évidence, il n'avait rien à espérer de plus que cette réponse laconique. Elle attrapa la brosse pour étriller le cheval. Etait-ce une illusion, ou sa main tremblait-elle légèrement ? Avançant le bras, il dit d'une voix douce :

— Laissez, je vais m'occuper des chevaux.

Elle tressaillit et eut un geste de recul. Il laissa sa main retomber sur le côté :

— Abby, je vous en prie, parlez-moi. Qu'est-ce qui ne va pas ?

— Je l'ai monté, c'est à moi de l'étriller, répliqua-t-elle, ignorant sa question.

Et elle reprit sa tâche. Les minutes suivantes s'égrenèrent dans un silence plein de gêne. Cet accès de panique soudain ne serait-il pas directement lié à ce qu'elle lui avait raconté au sujet de sa mère ? Il l'aurait parié ! Toutefois, comme elle restait muette, Russ aurait eu du mal à vérifier l'exactitude de ses soupçons.

Une fois qu'elle eut fini d'étriller Dancer, elle le mena à sa stalle où elle l'installa avant de se diriger vers la porte.

— Merci de m'avoir permis de monter votre cheval, dit-elle en passant à côté de lui.

Il posa une main sur son épaule et répondit :

— Abby, nous devons parler.

Sans lui accorder un regard, elle s'écarta et passa son chemin. Pourtant, il avait senti son corps se raidir sous la pression de sa paume.

— Il n'y a rien à dire, rétorqua-t-elle.

Sur ces mots, elle sortit du bâtiment et disparut de sa vue. Russ laissa alors échapper une bordée de jurons.

Alors comme ça, elle pensait qu'il n'y avait rien à dire ?
C'était ce qu'on allait voir ! Il était loin d'être d'accord !
Et pour le lui prouver, il était bien décidé à être ici
demain matin, à l'attendre, lorsqu'elle arriverait pour
prendre soin du pansement de Marsanne.

Trois jours s'étaient écoulés. Comme les trois matins
précédents, Abby attendit que Russ se soit acquitté de
sa tâche auprès des chevaux et ait rejoint Eli dans les
bâtiments vinicoles pour se diriger à son tour vers les
écuries.

Quelle peureuse elle faisait ! Pourquoi diable n'arri-
vait-elle pas à faire face à sa réaction après son baiser ?
Elle ne voyait toutefois vraiment pas comment gérer
autrement la situation.

Il lui était impossible d'expliquer à Russ la raison
de sa panique lors de leur promenade équestre. Plutôt
mourir que de lui avouer que la réputation de Grace à
Crawley l'avait bien trop souvent précédée.

Elle ne tenait d'ailleurs pas plus à lui raconter que
depuis le jour où, adolescente, elle avait presque perdu
sa virginité, elle avait un véritable problème avec les
hommes. En effet, l'année de ses quinze ans, son cavalier au bal du lycée s'était montré très entreprenant et
avait eu bien du mal à admettre que si la fille de Grace
Ashton disait non, contrairement à sa mère, cela voulait
vraiment dire non.

Abby donna un coup de pied rageur dans un caillou.
Depuis qu'elle avait atteint l'âge auquel les garçons
commencent à s'intéresser à vous, elle subissait la réputation de sa mère. Etait-ce juste ? Elle l'ignorait. En
tout cas, elle avait décidé de renoncer aux petits amis

et avait préféré se consacrer à ses études, qu'elle avait voulu terminer le plus rapidement possible.

Pourtant, lorsque Russ l'avait embrassée, elle s'était trouvée face à un problème nouveau pour elle : elle aurait voulu que ce baiser ne finisse jamais. Elle avait eu envie qu'il la serre contre lui comme si sa vie en dépendait, qu'il la caresse comme jamais elle n'avait été caressée. Voilà qui expliquait cet accès de panique qui ne lui ressemblait guère.

Pourquoi avait-elle l'impression de devenir une autre femme lorsqu'elle était avec Russ ? Qui sait, elle était peut-être comme Grace, après tout.

Elle entra dans l'écurie et remonta l'allée centrale en direction de la sellerie, plongée dans ses pensées. Non, la réponse n'était pas aussi simple. Elle avait l'impression que, contrairement à ce qu'avait vécu Grace, Russ était le seul homme au monde dont la présence vibrante parvenait à susciter de telles sensations en elle. Mais elle n'avait aucune envie de chercher à comprendre pourquoi ses baisers l'avaient autant troublée. Elle risquait trop de découvrir des facettes de sa propre personnalité qu'elle préférait ne pas connaître...

— Je commençais à me demander quand vous alliez arriver.

Perdue dans ses réflexions, Abby sursauta :

— Que faites-vous ici ? N'êtes-vous pas censé travailler à l'exploitation le matin ?

Russ, son chapeau sur la tête, était assis sur un banc, les jambes nonchalamment allongées devant lui. Il avait l'air détendu, sûr de lui. C'était vraiment le plus sexy des hommes, songea-t-elle.

Il sourit et lui répondit d'un ton provocant :

— J'ai décidé de prendre ma journée.

49

— Et pourquoi ? demanda-t-elle d'un ton abrupt.

Abby regretta aussitôt cette question : elle n'avait pas eu l'intention d'être aussi sèche, mais sa présence la prenait totalement au dépourvu. On le serait à moins : voilà que l'homme qu'elle semblait incapable de chasser de ses pensées surgissait soudain de nulle part...

— J'ai des affaires en suspens à régler, répliqua-t-il avec un vague haussement d'épaules.

— Alors pourquoi n'êtes-vous pas en train de les régler ?

Devant son sourire, elle sentit ses jambes flageoler :

— Maintenant que vous êtes là, c'est ce que je vais faire.

Elle essaya de contenir son trouble.

— Je ne vois pas en quoi ma présence change quoi que ce soit, mentit-elle en attrapant ce dont elle avait besoin.

— Mais c'est vous mon affaire en suspens, ma chère.

Un petit rire nerveux s'étrangla dans la gorge de la jeune fille.

— Je ne vois vraiment pas ce qui vous fait penser que vous et moi avons une affaire à régler.

Le souffle coupé, elle le vit se lever pour poser ses deux mains sur ses épaules :

— Ne faites pas l'idiote avec moi, Abby. Nous savons tous les deux que vous êtes bien trop intelligente pour ça.

Il se tenait tellement près d'elle qu'elle ne put reprendre sa respiration qu'au prix d'un effort considérable :

— Russ, je crois que cette proximité entre nous n'est pas une bonne idée.

— Ce n'est pas du tout mon avis.

Son air d'indifférence avait fait place à une expression profondément résolue :

— Abby, je veux savoir pourquoi vous vous êtes enfuie quand je vous ai embrassée.

Pendant plusieurs secondes, elle resta silencieuse, les yeux enchaînés à son regard intense. Puis elle se dégagea de son emprise.

— Vous ne comprendriez pas, répliqua-t-elle en tournant les talons.

Sans lui laisser le temps de faire un pas de plus, il la rattrapa par le bras.

— Je comprends beaucoup plus que vous ne le pensez, déclara-t-il.

Prenant ses joues entre ses mains, il l'obligea doucement à le regarder droit dans les yeux. Devant la tendresse dont était empreint son regard, elle sentit son cœur se serrer.

— Voulez-vous savoir à quoi j'attribue votre réaction, Abby ?

— Ça ne m'intéresse pas !

— C'est parce que vous avez peur, répondit-il, ignorant sa réponse.

Avec un petit rire forcé, elle secoua la tête :

— C'est là que vous vous trompez !

Hélas, même à ses propres oreilles, sa désinvolture sonnait faux.

— Vraiment ? rétorqua-t-il d'un ton sarcastique.

A l'expression déterminée de son visage, elle comprit qu'il avait bien l'intention de lui prouver qu'elle mentait.

— Alors laissez-moi vous embrasser, Abby.

Un sentiment mêlé d'excitation et de panique l'envahit.

— C'est ridicule.

— Vous n'êtes pas votre mère, lui dit-il doucement, en l'attirant dans ses bras.

51

À quoi bon résister ? Vaincue, elle n'en avait pas la force. Mais surtout, elle n'en avait pas envie. Elle sentit une vague de désir monter en elle avec une force inouïe. A cet instant, elle ne souhaitait rien d'autre que sentir le torse puissant de Russ contre sa poitrine. Vaciller encore et encore sous ses baisers enflammés...

— Et si vous vous trompiez ? parvint-elle à articuler d'une petite voix.

Elle vit les lèvres de Russ s'approcher des siennes. Un frisson la traversa.

— Je ne me trompe jamais dans ce domaine, affirma-t-il.

La tendresse de son baiser, la douceur de ses lèvres contre les siennes et son souffle brûlant eurent raison de ses inquiétudes.

Abby s'abandonna.

Elle s'agrippa à Russ comme si sa vie en dépendait. Le contact de ses muscles d'acier et les battements réguliers de son cœur provoquaient de longs frissons d'excitation dans son dos. Ses genoux semblèrent se dérober sous elle. Lorsqu'il glissa la langue dans sa bouche pour en explorer les profondeurs, elle se sentit envahie par un feu intense, déchaîné. Jamais on ne l'avait embrassée d'une telle manière, avec une telle adresse, une telle tendresse.

Et lorsque Russ resserra son étreinte, la plaquant tout contre lui, elle ne put s'empêcher de retenir un petit râle de plaisir. Ce corps d'homme, dur et ferme, l'attirait comme un aimant, lui faisait perdre la tête...

Elle se lova contre lui, et au contact de son sexe gonflé de désir, qui se pressait contre son corps brûlant, elle sentit une onde de désir aussi fulgurant qu'impérieux la traverser.

Une sorte de sonnette d'alarme résonna dans son esprit.

Gagnée par une crainte indicible, Abby se dégagea de son étreinte :

— Russ... je ne peux pas, fit-elle en secouant la tête.

— Tout va bien, chérie, répondit-il en la laissant reculer d'un pas, tout en la gardant prisonnière du cercle de ses bras. Inutile de te mentir, Abby, je te désire. Mais je n'ai jamais été du genre à forcer une femme, et je n'ai pas l'intention de commencer aujourd'hui.

La sincérité qu'elle pouvait lire dans l'éclat de ses yeux lui coupa le souffle. Elle ne doutait pas une seconde que chacune de ses paroles venait du fond de son cœur. Toutefois, c'était à elle seule de régler son problème avec les hommes.

— Je sais. Tu ne t'appelles pas Harold, murmura-t-elle.

Mon Dieu ! Elle n'avait jamais eu l'intention de citer le nom du goujat qui l'avait accompagnée au bal du lycée de ses quinze ans. Espérant que Russ n'ait rien entendu, elle s'empressa d'ajouter :

— C'est de moi que je me méfie. J'ai peur de faire quelque chose de stupide.

— Une petite minute ! Qui est ce Harold ?

Abby ferma les yeux et poussa un profond soupir. Et voilà ! Elle aurait dû se douter que Russ ne laisserait pas passer sa gaffe.

— C'était mon cavalier à un bal du lycée, mais c'est sans importance.

— Je ne suis pas d'accord, répondit-il, les sourcils froncés. A-t-il essayé de...

— Oui, mais il a changé d'avis.

Le froncement de sourcils de Russ s'accentua :

— Qu'est-ce qui l'a fait changer d'avis ?

Bon sang, cet homme ne lâchait pas prise facilement.

— Es-tu toujours aussi curieux ?

— Et toi, es-tu toujours aussi évasive ? Dis-moi ce qui s'est passé, chérie, demanda-t-il, d'un air soudain adouci.

Elle poussa un soupir résigné. Manifestement, Russ n'était pas près de renoncer.

— Lorsque je lui ai dit « non », Harold a essayé de me forcer. Mais un coup de genou au bon endroit l'a convaincu de ne pas insister. Je l'ai planté là, tandis qu'il se tordait de douleur sur le sol en gémissant.

Sa description de la scène arracha une grimace à Russ. Il savait sûrement ce qu'avait ressenti Harold.

— Il n'a eu que ce qu'il méritait. Et je veux bien croire que cela lui a fait un mal de chien ! ajouta-t-il.

— Je suis sûre que oui.

Abby n'était ni contente ni fière de cet épisode. Qu'il s'agisse d'un être humain ou d'un animal, elle n'aimait pas faire souffrir. Pourtant, elle était prête à tout pour se défendre : jamais elle ne serait une victime.

— Je suis désolée d'avoir dû en arriver là, mais cela lui a servi de leçon. Après ça, il ne m'a plus jamais embêtée.

— Je le comprends ! s'esclaffa Russ.

Elle se mordit la lèvre pour retenir un sourire et poursuivit :

— Pour tout dire, il ne voulait même plus m'approcher si je n'étais pas en groupe.

Russ prit soudain l'air grave :

— Abby, je te donne ma parole que tu n'auras jamais à redouter quoi que ce soit de ma part. Et je te le promets, je ne te toucherai que si tu me le demandes.

Elle sonda les profondeurs de son regard intense, si réfléchi. Ses yeux exprimaient la plus grande sincérité. Elle pouvait faire confiance à cet homme, elle le savait. Même dans les moments les plus torrides, il saurait rester maître de ses sens.

— Comme je te l'ai déjà dit, ce n'est pas de toi que j'ai peur.

Il secoua la tête :

— Il ne faut pas t'inquiéter de tes réactions. D'après ce que tu m'as raconté sur ta mère, elle et toi n'avez absolument rien en commun.

— J'espère bien que non.

Il la relâcha et se baissa pour ramasser les pansements de la jument.

— Viens dîner chez moi ce soir, Abby, demanda-t-il avec un sourire en se redressant.

— J'hésite...

— Je te promets que ce sera un simple dîner entre deux amis, pas plus.

— Je ne sais même pas où tu habites.

Envisageait-elle vraiment d'accepter ?

— Dans le cottage des invités, de l'autre côté du lac. Et je fais d'excellents spaghettis à la bolognaise, précisa-t-il en ouvrant la porte de la stalle de Marsanne pour attirer la jument dans l'allée.

Tout en se penchant sur la jambe de l'animal, Abby, songeuse, pesa le pour et le contre. Ce soir, oncle Grant était de sortie, et Mercedes avait un rendez-vous avec Craig, son petit ami. Avait-elle vraiment envie de passer la soirée seule devant la télévision ? Elle se releva et constata avec un hochement de tête :

— Je pense qu'elle n'a plus besoin de bandage. La blessure est presque cicatrisée.

— Magnifique ! s'exclama-t-il en reconduisant la jument dans la stalle. Et maintenant, ce dîner ? Je pourrais passer te chercher vers 19 heures...

Elle inspira profondément et prit sa décision :

— Ne te dérange pas, je viendrai à pied.

Lorsqu'il entendit frapper à la porte d'entrée, Russ s'essuya les mains à l'aide d'un torchon et alla ouvrir. La vue d'Abby sur le seuil, ses cheveux aux reflets d'or roux tombant en cascade sur ses épaules, lui coupa le souffle. Avait-il jamais posé les yeux sur une femme à la beauté aussi éclatante ? Certainement pas ! Et elle ne se doutait même pas de sa grâce, il était prêt à en jurer.

— Tu arrives juste à temps pour tourner la salade pendant que j'égoutte les spaghettis.

Elle laissait paraître quelques signes de nervosité, mais il saurait bien la mettre à l'aise.

— Si c'est moi qui m'occupe de la salade, fit-il d'un air espiègle, nous allons nous retrouver à ramasser les feuilles par terre.

— Et qu'est-ce qui te fait penser que je peux faire mieux ? demanda-t-elle dans un éclat de rire qui le ravit.

Sa poitrine se gonfla d'allégresse.

— Tu es une fem...

— Attention, mon vieux ! Tu es sur le point de te laisser dépasser, constata-t-elle avec un sourire qui creusa ses fossettes.

Il sentit son cœur battre à coups si précipités qu'il crut qu'il allait s'arrêter. Ses fossettes et ses cheveux auburn le faisaient complètement craquer ! Cette soirée risquait fort de mettre sa maîtrise de soi à rude épreuve... S'éclaircissant la voix, il essaya de se souvenir du sujet de leur conversation.

— Je m'apprêtais à dire que tu es une femme... qui devrait aller s'asseoir et se reposer pendant que je tourne la salade.

— Bien joué, cow-boy, approuva-t-elle avec un petit rire.

Elle se dirigea vers la cuisine et attrapa les couverts à salade.

— Toutefois, je ne crois pas une minute que c'est ce que tu avais sur le bout de la langue.

Pendant plusieurs minutes, ils travaillèrent côte à côte dans un silence complice. Tandis qu'il mettait les dernières touches à son plat de spaghettis, elle remplit les assiettes de salade et dressa le couvert.

— Veux-tu boire un peu de vin ? demanda-t-il en lui offrant une chaise devant la table de bois.

Elle refusa d'un signe de tête :

— Je dois avouer que je n'y connais pas grand-chose en vin. En général, je bois de l'eau ou du thé glacé pendant les repas.

— Aucune importance. Je ne bois jamais de vin non plus.

Elle écarquilla des yeux expressifs.

— Mais tu gagnes ta vie en faisant du vin !

Il se dirigea vers le réfrigérateur dans lequel il prit un pichet de thé glacé et leur versa un verre à chacun, avant de prendre place en face d'elle.

— Lorsque je bois, ce qui arrive rarement, je prends le plus souvent de la bière.

Elle leva son verre :

— Je porte un toast aux cow-boys de rodéo, viticulteurs et buveurs de bière.

Un sourire aux lèvres, il trinqua à son tour :

— Et moi, aux belles vétérinaires à forte personnalité.

Pendant le dîner, la conversation fut animée. Abby lui raconta que son frère, Ford, avait mis au point une nouvelle formule de nourriture pour bétail. Il n'était encore alors qu'à l'université, mais il avait ensuite loué sa formule brevetée à plusieurs grandes marques de nourriture pour animaux et, aujourd'hui, elle était vendue un peu partout aux Etats-Unis et à l'étranger.

— Et il a continué dans la recherche ? s'enquit Russ.

— Non, Ford travaille maintenant comme consultant indépendant pour de gros éleveurs de bétail. Et lorsqu'il n'est pas quelque part dans le pays à arpenter les cultures d'un client, il revient bronzer sur nos terres, conclut-elle en souriant.

Quand elle souriait comme ça, il ne voyait plus que ses fossettes, et il mourait d'envie de les goûter avec gourmandise... Se reprenant, il tenta de se concentrer sur la conversation.

— Il n'y a pas de mal à ça, répondit-il. En juillet et en août, lorsque les températures sont très élevées ici, on me voit souvent retirer ma chemise pour travailler dans les vignes.

— Je croyais que Napa Valley jouissait d'un climat tempéré toute l'année, fit-elle remarquer en posant sa fourchette sur le bord de son assiette.

58

— C'est le cas.

Comme pour le contredire, à ce moment précis, un éclair déchira le ciel, bientôt suivi d'un roulement de tonnerre. Ils éclatèrent de rire.

— Disons qu'il fait beau *presque* tout le temps, dit-il en se levant pour mettre leurs assiettes dans l'évier. J'ai prévu une tarte aux pommes pour le dessert. Tu en veux maintenant, ou plus tard, avec ton café ?

— Tu as fait une tarte ? Je suis impressionnée.

Il se tourna vers elle avec un sourire penaud :

— Je n'ai pas dit que je l'avais faite. J'ai simplement dit que je l'avais fait cuire.

— Oh, je vois.

Le sourire d'Abby le fit fondre sur place : cette femme lui faisait perdre tous ses moyens et enflammait tous ses sens ! Allait-il pouvoir tenir la promesse qu'il lui avait faite plus tôt dans l'après-midi ?

— J'aimerais mieux avec le café, répondit-elle alors.

Il hocha la tête affirmativement :

— Cela me convient tout à fait. Je vais mettre la cafetière électrique en marche...

Il n'eut pas le temps de finir sa phrase : un éclair illumina soudain toute la pièce, aussitôt suivi d'un énorme coup de tonnerre qui fit trembler les verres. Puis le silence se fit, et ils se retrouvèrent plongés dans l'obscurité la plus totale.

— Peut-être pas, après tout, ajouta-t-il.

— Je crois bien que nous allons manger notre dessert aux chandelles, constata-t-elle.

— Ça m'en a tout l'air, approuva-t-il.

Comme il était bête de ne pas avoir pensé à mettre des bougies sur la table pour le dîner ! Il semblait avoir bien besoin de quelques cours de remise à niveau en matière de rendez-vous galants.

Il ouvrit le tiroir dans lequel il rangeait une lampe torche, des bougies et un assortiment de petits outils.

Mais de qui se fichait-il donc ? songea-t-il en attrapant deux grosses bougies rouges qu'il disposa sur des soucoupes, avant de les allumer. Combien de fois lui était-il arrivé d'inviter une femme à dîner au cottage ? Et encore moins une femme comme Abby, titulaire d'un doctorat !

— Allons nous asseoir, suggéra-t-il en la précédant vers la salle de séjour. L'électricité devrait revenir d'une minute à l'autre.

C'était du moins ce qu'il espérait. En effet, s'asseoir sur le canapé avec une très belle femme à la lueur des chandelles allait sûrement le tenter au-delà du raisonnable.

— J'ai l'habitude des coupures d'électricité dans le Nebraska, dit Abby en prenant place près de lui. L'hiver, le froid fait rompre nos câbles, et l'été, les bourrasques d'orage les arrachent.

— Ici, les pannes de courant ne sont pas très fréquentes, expliqua-t-il.

Mais qu'est-ce qui avait bien pu lui passer par la tête lorsqu'il l'avait invitée à dîner ? Dans deux secondes, tout au plus, ils auraient épuisé le sujet du temps. Et ensuite ? Il avait bien quelques idées, mais toutes impliquaient qu'il la prenne d'abord dans ses bras.

Bon sang ! Il aurait dû savoir que cette promesse de ne pas la toucher sans son assentiment allait se retourner contre lui.

— Quand participes-tu à ton prochain rodéo ? lui demanda-t-elle, interrompant le périlleux fil de ses pensées.

— Ce week-end, à Wild Horse Flats, à environ cinq cents kilomètres au sud. C'est un petit rodéo, conclut-il avec un haussement d'épaules, mais j'y ai toujours eu de bons résultats.

— Parfois, les petits rodéos sont les plus drôles, remarqua-t-elle, avec un sourire un peu effarouché qui fit bondir son cœur dans la poitrine.

— Tu aimes le rodéo ?

Elle hocha la tête affirmativement :

— Lorsque j'étais au lycée, nous prenions parfois part à des rodéos aux environs de Crawley. J'étais inscrite aux épreuves de course autour des tonneaux. Tu sais, c'est l'épreuve réservée aux femmes : chaque cavalière et sa monture doivent tourner autour de trois barils vides disposés en triangle et revenir à leur point de départ. Comme je me suis amusée ! Quant à Ford, il participait aux concours de capture de veaux au lasso.

Il posa son bras sur le dossier du canapé, derrière son épaule, puis le laissa retomber sur sa cuisse. Il ne fallait surtout pas qu'elle croie qu'il avait oublié sa fichue promesse !

— Pourquoi as-tu arrêté la compétition ?

— J'avais le choix entre prendre des cours d'été pour finir mes études plus rapidement, ou prendre le temps de m'amuser. J'ai choisi les études.

Elle lui lança un regard étrange.

— Tu t'apprêtais à passer ton bras autour de mes épaules ?

Il s'éclaircit la voix :

— En fait, je voulais le poser sur le dossier du canapé, mais...

— Tu n'as pas l'impression de prendre un peu trop au pied de la lettre ce que je t'ai dit cet après-midi ? demanda-t-elle.

— Pas vraiment.

Il tiendrait parole, même s'il devait en mourir. Et c'était peut-être ce qui risquait d'arriver, si elle restait aussi près de lui.

— Eh bien moi, je te trouve un peu trop sérieux ce soir ! rétorqua-t-elle en se déplaçant à peine, de façon à pouvoir lui faire face. Tu vas au moins tenter de m'embrasser, non ?

Il secoua la tête.

— Je t'ai donné ma parole. Je ne te toucherai que si tu m'en donnes l'autorisation.

Pendant plusieurs secondes, indécise, Abby dévisagea Russ, le cœur battant à tout rompre. Oserait-elle se montrer aussi directe ?

Quand elle avait regagné sa chambre dans l'après-midi, les paroles de Russ lui trottaient dans la tête, et elle n'avait pas cessé d'y songer. C'était lui qui avait raison : elle n'était pas Grace et ne ressemblait en rien à sa mère.

Grace Ashton était faible, charnelle et égoïste. Mais sa fille était une femme forte et compétente, qui s'apprêtait à lui montrer de quoi elle était capable. Une femme qui apprenait à faire confiance à son instinct et à cerner ses objectifs. Et son objectif unique, à cette minute précise, était on ne peut plus précis : que Russ la serre dans ses bras et l'embrasse comme jamais elle n'avait été embrassée de sa vie.

Mais tant qu'elle ne prendrait pas les devants, Russ ne se permettrait jamais de l'embrasser, elle le savait. Allait-elle lui demander de l'embrasser, ou devait-elle prendre l'initiative ? Elle décida de passer à l'action sans plus réfléchir, sans doute le meilleur moyen pour chasser son malaise.

Elle se pencha vers lui et posa ses lèvres sur les siennes. Ce fut comme si son cœur s'était arrêté de battre. En vingt-quatre ans d'existence, elle n'avait jamais fait une chose pareille. Mais tandis qu'elle goûtait sa bouche ferme et chaude, cette expérience lui parut soudain extrêmement excitante et, dans une certaine mesure, libératrice.

L'air troublé, il se rapprocha d'elle. Elle s'attendait à ce qu'il l'enlace et qu'il réponde à son baiser, mais, manifestement, il attendait qu'elle lui fasse part de ses désirs. Toutefois, en se reculant, elle s'aperçut qu'il serrait les poings pour se retenir de la serrer contre lui. Fort bien ! Son envie de se blottir entre ses bras était au moins aussi forte que la sienne : elle n'avait plus qu'à lui faire comprendre qu'ils étaient sur la même longueur d'onde.

— Russ ?

— Oui, Abby ?

Il avait toujours les paupières closes et la respiration haletante.

— J'aimerais que tu me touches. Maintenant.

4.

Les yeux de Russ s'ouvrirent soudain tout grands et il l'attira dans ses bras.

— Enfin ! Je pensais que tu ne me le demanderais jamais !

— Il y a autre chose que je voudrais que tu fasses.

Au contact de son corps dur et ferme pressé contre le sien, elle sentit un frisson la traverser.

— Tout ce que tu voudras, chérie, répondit-il en effleurant son cou du bout des lèvres.

— Je veux que tu oublies cette promesse.

Il interrompit son baiser et la regarda d'un air à la fois soulagé et perplexe.

— Tu en es sûre ?

Elle lui lança un regard confiant, chargé de promesses.

— Tout à fait sûre. Si je me sens troublée ou mal à l'aise, je te préviendrai.

— Cela me va tout à fait, répondit-il en l'embrassant légèrement sur la joue. Mais j'ai juste une chose à te demander.

Des petits picotements lui parcouraient la peau à l'endroit où il venait de poser ses lèvres.

— Oui ?

— N'oublie surtout pas que je ne suis pas Harold. Si tu veux me repousser, enchaîna-t-il avec un sourire, il suffit de me dire non : je n'ai pas besoin d'un coup de genou mal placé pour comprendre… !

— Je tâcherai de m'en souvenir, répondit-elle en nouant les bras autour de ses larges épaules. Et maintenant embrasse-moi comme tu sais le faire, cow-boy.

Son sourire canaille la fit frémir d'excitation.

— J'ai bien l'intention de vous satisfaire, madame, répondit-il.

Le cœur d'Abby se mit à battre à coups redoublés et lorsque, sans hâte, il inclina la tête pour poser sa bouche sur la sienne, elle eut l'impression que le monde disparaissait autour d'elle. Elle savoura le goût de ces lèvres fermes qui taquinaient les siennes, se délectant du contraste entre leurs deux corps. Les muscles de Russ étaient si durs qu'ils auraient pu l'écraser, et pourtant il la tenait contre lui aussi délicatement que si elle avait été en porcelaine.

Quand elle sentit sa langue se glisser avec délice entre les siennes, elle s'enhardit, et répondit à son baiser. D'abord timidement, puis avec de plus en plus de fougue à mesure qu'il l'accueillait avec des soupirs de plaisir. Jamais auparavant elle n'avait pris conscience de son pouvoir sur un homme. Pour la première fois de sa vie, elle partait à la découverte de sa propre sexualité et commençait à comprendre ce que le plaisir au féminin signifiait. Et cette expérience la comblait.

Un frisson de plaisir parcourut le corps viril de Russ. Il abandonna ses lèvres à regret et la fit glisser sur ses genoux.

— Chérie… nous ferions mieux d'arrêter… avant que cela ne… déraille, haleta-t-il.

Il avait envie d'elle, il avait besoin d'elle, besoin d'assouvir le désir qui montait en lui et le rendait fou, le laissant près d'éclater.

Abby perçut l'excitation de Russ, et cela suffit à embraser tous ses sens. Elle se sentit submergée par une vague de désir, mais elle ne devait pas y céder, non, pas tout de suite. Elle s'arracha à son étreinte et revint s'asseoir à côté de lui. Laisser son corps vibrer au contact de Russ avait été fantastique, songea-t-elle, mais il valait mieux qu'elle interrompe là l'expérience.

— Merci pour ce dîner, Russ, mais il est tard, je ferais mieux de rentrer. Peux-tu me ramener chez moi ? demanda-t-elle doucement.

— Naturellement, répondit-il, mais pas avant quelques minutes.

— Pourquoi ?

Son rire la fit frissonner.

— Je crois que tout mon sang s'est concentré dans la partie inférieure de mon corps. Alors, si je me lève, je risque de me trouver mal...

Sa réplique lui mit le feu aux joues. Que pouvait-elle bien répondre à ça ? C'était bien la première fois de sa vie qu'elle ne trouvait pas ses mots.

Il tendit la main vers elle et, son sourire évanoui, entrelaça ses doigts aux siens.

— Accompagne-moi au rodéo de Wild Horse Flats ce week-end, Abby.

Pendant plusieurs secondes qui lui semblèrent une éternité, elle se contenta de le dévisager.

— Russ, je ne suis pas sûre que ce soit une bonne idée.

Pourquoi diable hésitait-elle ? Si elle ne voulait pas venir, pourquoi ne lui répondait-elle pas non d'emblée ? se dit-il avec impatience.

Secouant la tête, il plaça un index sur les lèvres d'Abby, comme pour l'empêcher de répondre.

— Nous partirons vendredi et rentrerons lundi. Et au cas où tu te demanderais comment nous allons dormir, mon van est équipé d'une partie habitable avec deux couchettes individuelles.

Après avoir déposé un dernier baiser sur ses lèvres, il se leva du canapé et lui offrit sa main pour qu'elle en fasse autant.

— Tu n'as pas besoin de dire oui tout de suite. Réfléchis et donne-moi ta réponse dans la semaine.

— Oncle Grant, tu n'as pas beaucoup parlé de Spencer ces derniers jours, déclara Abby le lendemain matin, attablée en face de son oncle.

Tous les matins, elle préparait leur petit déjeuner. C'était le seul moment privilégié de la journée où l'oncle et la nièce pouvaient parler.

Grant lui glissa un regard par-dessus le bord de sa tasse de café et répondit avec un haussement d'épaules :

— La situation n'évolue pas vraiment. Il refuse de me recevoir et ne veut voir aucun des Ashton des *Vignes*.

— Que vas-tu faire alors ? s'enquit Abby, que toute cette histoire commençait à inquiéter.

Revoir son père semblait devenir une véritable obsession pour l'oncle Grant.

— Persévérer jusqu'à ce qu'il cède. J'ai une réunion ce matin avec Cole et Eli pour discuter de nos options, enchaîna-t-il avec un sourire paternel. Eux aussi aimeraient bien avoir des réponses à leurs questions. Avec un peu de chance, nous allons bien trouver quelque chose qui incitera Spencer à nous rencontrer. L'une des idées que nous avons eues serait que j'aille tout raconter à la presse.

— Tu crois que cela pourrait marcher ? demanda-t-elle en débarrassant leurs assiettes vides qu'elle mit dans l'évier.

Grant hocha la tête affirmativement.

— Je l'espère. Je doute fort qu'il tienne à ce que ses associés apprennent qu'il est coupable de bigamie, et encore moins qu'il s'est approprié Lattimer & Cie illégalement. Mais je ne veux pas que tu te fasses de souci, Abby, reprit-il avec un sourire. Tout finira par s'arranger.

— Je le souhaite, répondit-elle, priant pour qu'il ait raison.

Oncle Grant ne méritait-il pas d'entendre enfin les explications de l'homme qui l'avait abandonné tant d'années auparavant ?

— Assez parlé de moi, reprit-il en lui faisant signe de s'asseoir et de finir son café. J'ai encore quelques minutes avant d'aller retrouver Cole et Eli. Dis-moi ce que tu as fait ces derniers temps, petit elfe.

En entendant le surnom qu'il lui avait donné quand elle était enfant, elle sentit son cœur se gonfler d'amour. Cet homme n'avait-il pas tout sacrifié pour les élever, elle et Ford ?

Lorsque Grace était partie, laissant ses deux enfants à la charge de son frère, Grant n'avait que vingt-quatre ans. Pourtant, Abby ne se souvenait pas de l'avoir jamais entendu se plaindre de la façon dont sa vie avait tourné. Jamais il n'avait exprimé le moindre regret. Il ne s'était pas marié et, même s'il ne le disait pas, elle le soupçonnait d'avoir voulu consacrer toute son attention à ses neveux afin de compenser le manque d'amour de Grace.

— Il n'y a pas grand-chose à raconter. L'autre jour, Mercedes m'a fait visiter le vignoble et a essayé de m'initier à l'art délicat de la dégustation. Je suis d'ailleurs arrivée à une conclusion, conclut-elle avec un sourire.

— Vraiment ?

Elle hocha la tête en signe d'assentiment :

— J'ai compris que le vin est un breuvage qu'il faut apprendre à aimer.

— C'est vrai, répondit-il, amusé. Et c'est tout ce que tu as fait ?

— A part l'un des chevaux que j'ai soigné aux écuries pour un boulet déchiré, je n'ai pas fait grand-chose, répondit-elle.

Devait-elle lui parler de l'invitation de Russ ? En général, elle parlait de tout avec son oncle, et ne prenait sa décision qu'après avoir entendu son opinion. Toutefois, partir en week-end avec un homme était une affaire beaucoup plus personnelle que décider de devenir vétérinaire pour gros animaux, ou choisir une université.

Quoique... si elle acceptait d'accompagner Russ à ce rodéo, elle serait bien obligée d'expliquer son absence. Elle inspira profondément et commença :

— Oncle Grant, tu as déjà rencontré Russ Gannon ?

— Non, mais j'ai entendu dire le plus grand bien de lui, répondit-il en prenant une gorgée de café. Cole ne tarit pas d'éloges à son sujet. Quant à Eli, il répète à qui veut l'entendre que si Gannon le décidait, il pourrait faire pousser du raisin sur la lune !

— Je ne sais pas grand-chose sur ses talents de vigneron, mais je sais qu'il est sympathique, murmura-t-elle.

Comment allait-elle s'y prendre ? C'était l'une des rares fois où Abby regrettait de ne pas avoir une mère ou une sœur aînée à qui parler.

— J'ai l'impression qu'il t'a fait un certain effet, déclara l'oncle Grant, ses yeux verts pétillant de malice.

« C'est le moins qu'on puisse dire », songea-t-elle.

Elle se leva pour remplir de nouveau leur tasse.

— Il y a quelques jours, il m'a emmenée faire un tour à cheval, et hier il m'a invitée à dîner chez lui.

Tout en regagnant la table, elle remarqua que son oncle la suivait d'un regard curieux.

— Et il m'a demandé de l'accompagner à un rodéo auquel il doit participer à Wild Horse Flats ce week-end.

— Et tu vas y aller ? demanda oncle Grant avant d'avaler une gorgée de café.

— Je ne sais pas encore...

Il reposa doucement sa tasse sur la table et lui prit la main tendrement.

— Es-tu en train de me demander conseil ?

Elle se sentit perplexe : était-ce le cas ?

— Pas vraiment, finit-elle par répondre. Je voulais simplement te le dire pour éviter que tu t'inquiètes de ne pas me voir ce week-end.

— Donc, si je comprends bien, tu ne sais pas encore si tu vas accepter ?

— Exactement.

— Et tu pencherais plutôt pour le oui ?

Elle acquiesça doucement. Son oncle la dévisagea un moment puis se décida à parler :

— Tu ne m'as peut-être pas demandé mon avis, mais je vais te le donner quand même.

— Je t'écoute.

— Tu sais que tu as toujours été comme une fille, pour moi, dit-il d'une voix un peu rauque. Et le père en moi croit bien qu'il n'y a pas un homme au monde qui te mérite !

Après s'être éclairci la voix, il reprit :

— Mais les pères ne sont pas toujours les mieux placés pour savoir ce qui est bon pour leur fille... Abby, je sais surtout que tu as toujours eu la tête sur les épaules, et que tu prendras la bonne décision. Je fais confiance à ton jugement, dit-il en lui pressant doucement la main. Quel que soit le choix que tu feras, je sais que, pour toi, ce sera le bon.

Puis il se leva pour se rendre à sa réunion, mais elle le retint pour le serrer contre lui :

— Merci, oncle Grant.

— Tout le plaisir est pour moi, petit elfe. Même si je ne sais pas trop de quoi tu me remercies, conclut-il dans un éclat de rire en la prenant dans ses bras.

Abby embrassa sa joue maigre.

— Je te remercie de toujours savoir trouver les mots justes.

Russ était en train d'étriller Blue lorsqu'il vit Abby entrer dans l'écurie. Il ne l'avait pas revue depuis le soir où il l'avait raccompagnée chez elle après leur dîner. A la vérité, il n'était pas surpris qu'elle l'ait évité.

Il avait beaucoup réfléchi ces trois derniers jours pour arriver à la conclusion qu'elle ne devait pas le tenir pour très intelligent. Et comment pourrait-il lui en vouloir ? Ils se connaissaient à peine, n'avaient eu qu'un rendez-vous, si l'on pouvait appeler un dîner chez lui un rendez-vous, et il n'avait rien trouvé de mieux que de l'inviter pour le week-end. Il savait bien, pourtant, à quel point elle avait en horreur l'idée de devenir comme sa mère. Alors, qu'est-ce qui avait bien pu lui passer par la tête ?

— Salut, dit-elle en se plaçant de l'autre côté de Blue.

Au son de sa voix douce, comme chaque fois qu'il se trouvait en sa présence, il sentit la même déferlante, la même chaleur se répandre dans tout son corps et serra la brosse de toutes ses forces, comme pour y laisser ses empreintes. Seigneur ! Qu'elle était belle ! Ses cheveux couleur cannelle étaient tirés en une queue-de-cheval lâche, dégageant la peau satinée de cette nuque fine qu'il mourait d'envie d'embrasser.

— Salut, parvint-il à répondre d'une voix rauque. Ça fait un bout de temps que je ne t'ai pas vue...

— Mercedes m'avait demandé de l'accompagner à San Francisco pour deux jours de shopping. En matière d'exercice, cela vaut toutes les salles de sport, conclut-elle avec un sourire.

Un silence pesant s'installa entre eux. Sans doute, songea Russ, Abby n'osait-elle pas lui dire qu'elle ne voulait pas l'accompagner. Tout en continuant à brosser le hongre, il réfléchissait : comment pouvait-il revenir sur son invitation pour lui éviter la position inconfortable de devoir la refuser ?

Bon ! Il allait être franc. Autant lui faciliter la tâche en lui expliquant qu'il comprenait tout à fait les raisons qui la poussaient à ne pas vouloir l'accompagner à Wild Horse Flats. Mais au moment précis où il ouvrait la bouche, elle se mit à parler aussi.

— Abby, je crois que...

— Russ, j'ai décidé que...

Ils s'interrompirent, tous deux saisis d'un rire nerveux.

— Honneur aux dames, déclara-t-il.

La tête baissée, elle fixait l'extrémité de ses bottes. Qu'attendait-il donc ? Ne savait-il pas ce qu'elle allait dire ? Mais lorsqu'elle releva les yeux pour les plonger dans les siens, elle souriait.

— Voilà : j'ai beaucoup réfléchi et si tu veux encore de moi pour assister au rodéo ce week-end, j'aimerais venir.

Son cœur se mit à cogner follement dans sa poitrine. Il avait soudain du mal à trouver son souffle. Bien sûr, son van étant équipé de deux couchettes, chacun aurait la sienne. C'était ce qu'il lui avait dit et il avait la ferme intention de ne pas changer d'avis. Néanmoins, vu qu'ils semblaient presque aimantés l'un vers l'autre, il n'était pas du tout impossible qu'ils fassent l'amour...

A cette idée, il sentit le désir l'envahir, et il dut faire un immense effort pour se contrôler. Heureusement, à part le sourire idiot qui lui fendait le visage, elle ne pouvait pas s'apercevoir de l'effet qu'elle lui faisait.

— Génial ! Penses-tu pouvoir être prête pour midi demain ? demanda-t-il.

Elle approuva d'un petit geste de menton.

— Quand doit avoir lieu ta première épreuve ?

— Pas avant samedi matin. Mais nous avons sept heures de route et j'aimerais arriver assez tôt.

— Je comprends, répondit-elle en laissant sa main courir sur le flanc de Blue.

Combien il aurait aimé sentir cette même caresse légère sur sa peau, songea-t-il avec envie.

Comme si elle avait deviné ses pensées, elle retira sa main et recula de quelques pas.

— A demain midi, donc, reprit-elle en s'éloignant.

— Tu m'as l'air bien pressée, dit-il en contournant le cheval.

Elle s'arrêta, l'air surprise.

— Je voulais juste rentrer préparer mon sac.

Hochant la tête, il tendit le bras vers elle.

— Si tu crois que tu vas m'échapper aussi facilement ! Tu m'as manqué, Abby, dit-il en l'attirant vers lui.

— A moi aussi, tu m'as manqué.

Devant son sourire, il sentit une lave ardente se propager dans ses veines. Rien, même si sa vie en dépendait, ne pouvait l'empêcher de l'embrasser.

Au moment où sa bouche se posa sur ses lèvres parfaites, il se sentit transporté par des émotions intenses, d'une force incroyable. Cela faisait trois jours que cette envie violente de goûter de nouveau à cette bouche le taraudait. C'était de la folie, ils se connaissaient depuis si peu de temps. Pourtant, il était en train de devenir totalement *accro* à sa douceur sucrée.

L'ardeur avec laquelle elle lui rendit son baiser le fit chanceler. Le désir qu'elle attisait en lui était tellement impérieux qu'il en devenait fou. En proie à un besoin soudain de la toucher, il laissa remonter sa main sur l'un de ses seins frémissant qu'il recouvrit, lui arrachant un soupir haletant. Dieu merci, elle ne se dégagea pas, au contraire. Il sentit ses doigts se nouer autour de son cou et s'agripper à sa chemise.

Encouragé, il continua lentement son exploration et, du dos de son pouce, caressa la pointe qui saillait sous le T-shirt et le soutien-gorge. A son gémissement de plaisir, une flèche de désir monta en lui et lui arracha un cri rauque.

Assez ! s'intima-t-il soudain, à grand-peine. Il était sur le point de perdre le peu qui lui restait de maîtrise de soi. A regret, il laissa lentement sa main redescendre sur la taille de la jeune femme, et quitta ses lèvres.

— Chérie, je n'aimerais rien tant que passer le reste de la journée comme ça, mais cela pourrait devenir dangereux.

— Pourquoi... dis-tu... ça ? balbutia-t-elle, d'une voix aussi haletante que la sienne.

Se penchant vers elle, il la regarda et sentit sa poitrine se contracter. Ses joues de porcelaine étaient rosies par le désir et ses lèvres voluptueuses encore gonflées de son baiser.

Elle était tellement belle qu'il sentait son corps traversé du besoin presque douloureux de la faire sienne. Ah, éprouver le contact de cette femme !

D'un rire, il essaya sans grand succès de dissiper la tension qu'il réprimait.

— Si nous continuons comme ça, j'ai bien peur de finir par partager le destin du pauvre Harold.

A sa grande surprise, au lieu de rire à son tour, elle secoua la tête :

— Tu n'as pas besoin de t'inquiéter, murmura-t-elle. Avec toi, rien de tel n'arrivera jamais.

Puis, se penchant vers lui, elle déposa un baiser sur la peau odorante et hâlée dans l'échancrure de sa chemise ouverte.

— A demain, Russ.

Le cœur battant la chamade, le souffle presque coupé, il la regarda s'éloigner et disparaître derrière la grande porte à double battant. Il lui fallut alors vraiment

75

prendre sur lui pour se sortir de sa torpeur et s'efforcer de retrouver un semblant de raison.

Il n'avait plus le choix : ce week-end, ou bien il ferait l'amour à Abby, ou bien il perdrait totalement la tête. Il en avait désormais la certitude.

5.

Pendant que Russ garait son van sur le terrain attenant à l'endroit où devait se dérouler le rodéo, Abby mena Dancer à la petite écurie non loin du camping. En chemin, Russ lui avait expliqué qu'en raison du grand nombre de rodéos et de démonstrations équestres qui se déroulaient dans la région, les propriétaires du camping, par courtoisie pour les participants, mettaient des écuries à leur disposition.

Après avoir installé le hongre dans l'une des spacieuses stalles, elle regagna le van. Russ était en train d'ouvrir la porte de la partie habitable. Avec un sourire, il fit un pas en arrière et la salua de son chapeau :

— Si Madame veut bien se donner la peine d'entrer.

Elle pénétra dans la pièce en riant et inspecta les lieux : une minuscule douche, une kitchenette et un sofa convertible. Dans la partie la plus étroite, un peu surélevée, se trouvait un grand lit d'aspect confortable qui couvrait toute la largeur du mobile home.

— C'est vraiment bien ici, Russ.

Il haussa les épaules d'un air dégagé, mais elle comprit que son appréciation lui faisait plaisir.

— Evidemment, ce n'est pas *Les Vignes*, mais quand on voyage, ce genre de véhicule change la vie. Veux-tu te rafraîchir et manger quelque chose avant de te coucher ?

Lorsqu'elle l'entendit faire référence à la nuit qui s'annonçait, elle sentit d'étranges picotements au creux du ventre. Ils ne dormiraient pas dans le même lit, mais ils ne seraient séparés que par quelques mètres et un mince rideau. Partager un endroit aussi exigu impliquait un certain degré d'intimité. Pourquoi diable n'y avait-elle pas réfléchi avant ?

Elle poussa un profond soupir. Allons ! Autant ne pas y penser pour le moment.

— Non, merci. Notre dîner m'a bien rassasiée.

Deux heures auparavant, ils avaient fait une halte pour permettre à Dancer de se dégourdir les jambes et, avant de reprendre l'autoroute, ils avaient avalé un hamburger et quelques frites au restaurant du parking.

— Je ne vois pas comment, répondit-il avec un froncement de sourcils. Tu as fini par me donner presque toutes tes frites et un morceau de ton sandwich !

— Je n'avais pas très faim.

Inutile de lui avouer que son manque d'appétit était dû à la boule qu'elle sentait grandir dans son estomac, au fur et à mesure qu'ils approchaient du terrain de camping.

Il alluma la télévision encastrée dans le mur et, avec un sourire, saisit la poignée de la porte.

— Et si tu enlevais tes bottes ? Mets-toi à l'aise pendant que je vais nourrir Dancer, et lui trouver de l'eau pour la nuit. Lorsque je reviendrai, il sera presque l'heure de se coucher.

Chaque fois qu'il employait les mots « nuit », « se coucher », elle sentait des frissons lui parcourir le dos et un nœud se former au creux de son estomac.

— A quelle heure a lieu la première épreuve demain matin ?

— Pas avant 10 heures, mais les inscriptions commencent dès 7 heures. De plus, nous devons prendre un petit déjeuner. Je suis sûr que d'ici là ton appétit sera revenu, conclut-il en ouvrant la porte.

— Peut-être, répondit-elle, sceptique.

Pour sa part, elle en doutait fort. Elle aurait l'estomac bien trop serré par l'émotion tout le week-end.

— Fais comme chez toi, je reviens dans quelques minutes, reprit-il, avant de sortir.

Abby attendit qu'il eût fermé la porte et poussa un profond soupir, comme soulagée. Pourquoi diable avait-elle accepté de l'accompagner au rodéo ? Elle se demandait maintenant ce qui avait bien pu lui passer par la tête. La partie habitable était minuscule. Pourtant, elle savait bien que dès qu'ils étaient seuls dans la même pièce, ils finissaient par tomber dans les bras l'un de l'autre : ça avait été le cas chaque fois ! Elle aurait dû se méfier, se réprimanda-t-elle.

Mais il était trop tard pour y songer. Et au fond, peut-être un peu hypocrite... Car, inutile de se mentir à elle-même : elle savait bien que si elle avait accepté, c'était tout simplement parce qu'elle avait envie d'être près de Russ. Tout près.

Tout cela n'avait aucun sens ! Et dire qu'ils ne se connaissaient que depuis quinze jours. Pourtant, lorsqu'elle était partie en escapade à San Francisco avec Mercedes pendant deux jours, elle ne pensait qu'à une chose : rentrer aux *Vignes* et retrouver Russ.

Une fois ses bottes retirées, elle se blottit confortablement dans le canapé et fixa l'écran de télévision sans le voir. Serait-elle en train de tomber amoureuse ?

Pouvait-on éprouver des sentiments pour quelqu'un en si peu de temps ?

Lorsqu'ils étaient ensemble, elle avait l'impression d'être à sa vraie place, de n'être venue sur terre que pour être avec lui. Et lorsqu'ils étaient séparés, elle était obsédée par son image : son rire profond, sa chaude étreinte et ses baisers lui manquaient à en mourir.

Elle songea avec tendresse à l'oncle Grant. Pour lui, sa nièce était capable de reconnaître immédiatement ce qu'elle voulait et elle était prête à tout essayer pour l'obtenir. Mais c'était à ses études, à sa carrière, qu'il faisait allusion, pas aux affaires du cœur.

Etait-il temps de relâcher la maîtrise de soi qu'elle s'était toujours imposée ? Allait-elle oser se laisser aller et prendre le risque de tomber amoureuse de Russ ?

Soudain, avant qu'elle ait pu arriver à une conclusion sur la conduite à adopter, la porte du mobile home s'ouvrit. L'objet de ses pensées était de retour.

— Est-ce que cela te plairait d'aller danser demain soir, chérie ?

— Cela fait partie des festivités du rodéo ?

— D'habitude, non, répondit-il, souriant, avant de s'asseoir à son côté pour retirer ses bottes. Mais il paraît que les femmes et les petites amies des participants se sont plaintes : c'est le week-end de la Saint-Valentin et elles se retrouvent coincées ici, au rodéo.

Abby étouffa un petit rire.

— Autrement dit, les hommes essayent de se faire pardonner en organisant un bal de dernière minute, enchaîna-t-elle.

— C'est un peu ça. Si leurs femmes s'étaient contentées de leur reprocher de manquer de sensibilité et de romantisme, ils ne se seraient pas inquiétés outre mesure. Mais quand elles les ont menacés de les envoyer dormir à l'écurie, avec leur cheval, ils ont fini par saisir la gravité de la situation ! Et du coup, ils ont réagi en conséquence. Alors, aimerais-tu venir au bal ? conclut-il, toujours souriant, en vidant la poche de son jean de sa clé et sa petite monnaie.

— Oh oui ! Ce sera sans doute très amusant. Mais cela fait des années que je ne suis pas allée danser, je risque de passer mon temps à te marcher sur les pieds. Te voilà prévenu ! s'xclama-t-elle en riant.

Le rire d'Abby toucha Russ comme une flèche. C'était comme si un souffle nouveau lui emplissait la poitrine, faisait battre son cœur et résonnait dans son cerveau, lui faisant perdre tous ses moyens. Il se reprit à grand-peine, et balbutia :

— Pas de problème. Tu sais, je ne danse que le slow. Ma cavalière bien serrée contre moi, je me laisse bercer en rythme par la musique.

A la pensée que Russ la tienne serrée contre son torse puissant, elle sentit une vague de chaleur diffuse déferler dans son corps. Allons, il était temps de mettre une certaine distance entre eux. Elle se leva et chercha des yeux son petit sac de voyage.

— Où as-tu rangé…

Sans lui laisser le temps de finir, il attrapa le sac et des draps de lit dans le placard microscopique.

— Voilà, dit-il en les lui tendant. La douche est plutôt étroite, mais je pense que tu auras la place de t'y changer.

Elle entra dans le réduit exigu, se déshabilla à la sauvette et enfila sa chemise de nuit. Au moment où elle ouvrait la porte, elle s'aperçut qu'elle avait oublié de prendre son peignoir.

— Et que vas-tu faire, maintenant ? murmura-t-elle, agacée par son étourderie.

— Tu as dit quelque chose ? appela Russ.

— Non, je parlais toute seule.

Elle jeta un coup d'œil à la chemise de coton fin qui lui arrivait au-dessus du genou. Bien ! Elle avait deux solutions : ou bien elle remettait ses vêtements et se couchait habillée, ce qui n'était pas vraiment tentant, ou bien elle sortait la tête haute comme si tout était normal, comblait d'une enjambée les quelques mètres qui la séparaient de sa couchette et plongeait sous ses couvertures.

De toute façon, elle n'avait pas vraiment le choix. Avant d'avoir eu le temps de changer d'avis, elle ouvrit la porte et sortit de la douche.

— J'aurais pu faire mon lit, dit-elle en le voyant border son drap et sa couverture sur le canapé convertible.

— Ce n'est pas pour toi. Tu prends le lit. Moi, je vais dormir ici, expliqua-t-il, lui tournant le dos.

Lorsqu'il fit volte-face, il dut faire un effort surhumain pour garder son calme. C'était la première fois qu'une vision aussi sexy s'offrait à ses yeux. Abby était debout devant lui, vêtue d'un T-shirt turquoise, un peu ample. Même en faisant preuve de la plus grande imagination, il était évident elle n'avait pas pour but de se montrer provocante avec cette tenue. Pourtant, jamais elle ne lui avait paru aussi séduisante que ce soir.

Il sursauta en constatant que le tissu, quasi transparent, ne dissimulait presque rien de son corps splendide. Au spectacle de ses seins, libérés de toute entrave, à travers la mince étoffe, il crut devenir fou. Et quand il s'aperçut que ce fichu T-shirt lui arrivait à peine à mi-cuisse, il lui fallut vraiment se faire violence pour se retenir de se jeter sur elle. Elle avait des jambes de déesse : interminables, un galbe parfait.

Il sentit ses hormones échapper à tout contrôle. Quant à son imagination, elle s'était complètement emballée : une image de ces jambes enroulées autour de lui tandis qu'ils faisaient l'amour passa devant ses yeux. Le désir fit aussitôt réagir son corps et il dut serrer les dents si fort que c'en était presque douloureux.

Les yeux toujours rivés sur cette vision de rêve, il remarqua soudain ses joues en feu. Tiens ! Elle était donc troublée. Cela ne l'empêchait pas, la tête toujours droite, de soutenir son regard.

— J'ai oublié mon peignoir, expliqua-t-elle.

Sans réfléchir, il fit un pas vers elle et l'attira contre lui :

— Ne te méprends pas, chérie. J'adore ce que tu portes.

Il inspira longuement : il était sur le point de manquer d'air.

— Ou plus exactement, j'adore le fait que tu ne portes pas de peignoir, reprit-il. Mais si tu restes là, devant moi, je crois que je ne vais pas pouvoir contrôler mes mains plus longtemps...

Avec ce corps souple pressé contre le sien, il était à la fois au paradis et en enfer. Combien il aurait voulu lui retirer ce T-shirt, se déshabiller lui aussi, s'allonger sur le lit et passer le reste de la nuit à lui faire l'amour ! Pas question de se laisser aller, cependant. N'avait-elle pas une confiance totale en lui ? Il ne pouvait donc pas la pousser à donner plus qu'elle ne le souhaitait. Et plutôt que de la décevoir, il préférait rôtir en enfer.

Mais le problème, c'est qu'il se sentait sur le point de craquer, malgré tous ses raisonnements. Et il en avait envie. Terriblement... Un simple baiser, et il serait perdu, il le savait.

Il caressa doucement la peau satinée de son cou et continua :

— Je fais de mon mieux pour faire preuve de galanterie, chérie. Mais c'est une bataille perdue d'avance. Je crois que c'est la raison pour laquelle il est temps pour toi de te coucher.

Il la relâcha et, reculant, enfila ses bottes.

— Où vas-tu ? demanda-t-elle, soudain désorientée.

Le bras tendu vers la porte, il s'arrêta et lui donna un baiser rapide.

— Je vais commencer par faire plusieurs fois le tour du camping en courant, ensuite je trouverai bien deux ou trois chevaux à dompter, puis j'irai me mesurer à quelques taureaux !

Sur ces mots, il sortit du mobile home, referma la porte derrière lui et s'éloigna avant d'avoir eu le temps de changer d'avis, de retourner à l'intérieur et de lui faire l'amour, éperdument, jusqu'à ce que tous deux tombent d'épuisement. Il laissa échapper un soupir de frustration et longea les écuries.

Allons, il devait se détendre. Comment diable allait-il pouvoir gérer ce trouble si nouveau pour lui et dont elle était seule responsable ? Etait-ce même possible ? Quelque chose lui soufflait qu'il était inutile d'essayer. Il n'avait jamais été en proie à un tel désarroi.

Abby l'excitait physiquement, c'était indéniable : dès qu'elle le regardait, il n'était plus qu'un corps gorgé de désir, incapable de retenir ses pulsions. Et ce, dès le premier regard. Si encore il n'y avait que cette attirance physique ! se dit-il avec un soupir. Mais ce qui le troublait le plus, c'était la confusion des sentiments qu'il ressentait aussitôt qu'il se trouvait dans la même pièce qu'elle et qu'elle levait ses beaux yeux vers lui. C'était comme si d'étranges forces livraient une féroce bataille en lui, à laquelle il assistait, impuissant.

Il avait pensé pouvoir se contenter de partager de bons moments avec elle le temps de son séjour en Californie, puis, lorsque l'heure serait venue pour elle de regagner le Nebraska, lui dire adieu sans émotion ni regrets. Pourtant, elle était parvenue à s'emparer, malgré lui, de ses désirs et de ses pensées comme jamais aucune autre femme ne l'avait pu auparavant. D'ailleurs, s'ils faisaient l'amour, il avait l'impression qu'il ne serait plus jamais le même homme.

Hochant la tête, il s'assit sur une botte de foin devant la stalle de Dancer.

Ce n'était pas tout : n'était-il pas certain qu'elle était toujours vierge ? Un fait non négligeable, qui donnait une tout autre dimension à la situation. Russ appartenait à la vieille école et, pour lui, prendre la virginité d'une femme, signifiait beaucoup plus qu'une simple galipette dans la paille pour soulager une pulsion. Une femme ne pouvait pas faire l'amour pour la première fois à la légère. Il devait s'agir d'un événement exceptionnel qu'elle devait vivre avec un homme qui comptait autant pour elle qu'elle pour lui.

Ce qui, sans conteste, était leur cas. Hélas, comment pouvaient-ils songer à construire une relation durable ? Elle habitait à des centaines de kilomètres et, si elle restait à Napa Valley, il n'avait rien à lui offrir. Rien !

Il se leva et, sans hâte, reprit le chemin du mobile home. S'ils faisaient l'amour, pourraient-ils se quitter sans y laisser trop de plumes ? Et le jour où Abby repartirait au Nebraska, ne risquait-elle pas d'emporter son cœur avec elle ?

Le lendemain après-midi, Abby regardait Russ qui, pour la quatrième fois, faisait sortir Dancer de la stalle pour faire équipe avec un autre de ses amis inscrit dans l'épreuve de lutte avec un bouvillon. Elle avait été impressionnée de voir que Dancer et lui étaient très demandés pour cette épreuve, qui requérait une grande dextérité. Par trois fois déjà, elle avait vu Russ et Dancer évoluer dans un accord parfait, et faire gagner leur équipe avec une facilité déconcertante. Jamais elle n'avait rencontré un homme qui ait une telle prestance.

— Mais où te cachais-tu depuis tout ce temps, chérie ? lui chuchota soudain une voix masculine au creux de l'oreille.

Levant les yeux, elle se trouva face à face avec un cow-boy de belle allure, un sourire libidineux sur le visage, qui, selon toute apparence, s'apprêtait à s'asseoir à côté d'elle. Elle s'empressa de se pousser, de façon à mettre autant de distance entre eux que possible.

— C'est que tu es sacrément mignonne, ma belle ! s'écria-t-il en s'installant un peu trop près d'elle à son goût.

Pitié, pas ça ! se dit-elle avec irritation. Elle connaissait ce genre d'homme. Après l'avoir foudroyé du regard, elle l'ignora et ramena son attention sur ce qui se passait dans l'arène.

— Quel est le problème, poulette ? Tu as avalé ta langue ? s'enquit-il en passant un bras autour de ses épaules.

Toujours sans un mot, Abby se dégagea d'un geste brusque avant de se lever pour chercher une autre place.

— Allons, ce ne sont pas des manières, dit-il en l'imitant. J'essaye juste de me montrer amical.

— Premièrement, je ne veux pas être votre amie, rétorqua-t-elle en apercevant une place libre, plusieurs rangs plus bas, dans les tribunes. Deuxièmement, je ne m'appelle pas « poulette ».

— Comment pouvons-nous faire connaissance si tu ne me..., insista-t-il en la rattrapant par le bras.

Elle lui lança un regard haineux et dégagea son bras.

— Si vous ne voulez pas que je vous casse les mains, ne me touchez pas !

Heureusement, l'épreuve de lutte avec les bouvillons se terminait. Tant mieux, elle allait pouvoir s'éclipser. Elle descendit les marches des tribunes et ne fut pas longue à repérer Dancer qui attendait son maître devant la porte de l'arène. En revanche, à son grand désespoir, pas de trace de Russ.

— Tu as un sacré tempérament, dis-moi, continuait le cow-boy qui courait pour rester à sa hauteur.

Bon sang, que ce type était donc exaspérant !

Sans lui prêter la moindre attention, elle poursuivit son chemin, tandis que son passé lui revenait à la mémoire par flashes, faisant resurgir des souvenirs pénibles. Elle essaya de réprimer le sentiment de panique qui s'était emparé d'elle. Allons ! Elle n'était plus une adolescente. Et puis, que risquait-elle dans cette foule de quinze cents personnes ?

— Que dirais-tu de trouver un petit coin bien tranquille où nous pourrions apprendre à nous connaître ? reprit l'homme en lui enlaçant la taille pour la faire pivoter contre lui. Je ferais en sorte que tu profites de…

Assez ! Ce crétin allait cesser de l'importuner une bonne fois pour toutes ! Elle s'apprêtait à lui coller un bon coup de genou lorsque Russ, surgissant à l'improviste, attrapa l'intrus et le retourna vers lui.

— Tu la fermes, maintenant, et tu la laisses tranquille, compris ?

L'homme fit mine de vouloir protester.

— Allez, donne-moi une raison qui pourrait m'en empêcher, reprit Russ qui, ivre de rage, ne prêtait aucune attention aux paroles de l'importun.

— Je te laisse la place, cow-boy, répliqua l'homme d'un air renfrogné en reculant. Elle n'en vaut pas la peine, de toute façon.

Une fois l'inconnu évanoui dans la foule, Russ se retourna vers Abby :

— Ça va ? s'enquit-il.

— Ça va. Mais tu sais, j'aurais pu le remettre à sa place moi-même.

— Non. Tant que je serai avec toi, il n'en est pas question. Tu as ma parole que je ferai tout ce qui est en mon pouvoir pour te protéger, Abby, conclut-il en l'attirant dans ses bras.

— Oh ! Mais je sais me défendre. J'étais sur le point de lui donner la même leçon de politesse qu'à Harold, expliqua-t-elle en se blottissant contre lui.

Les bras de Russ se resserrèrent autour d'elle.

— Lorsque j'ai levé la tête vers les gradins et que j'ai vu les mains baladeuses de ce sale mufle sur toi, mon sang n'a fait qu'un tour et je me suis précipité.

— Il ne s'est rien passé, ne t'inquiète pas.

Bien à l'abri dans les bras puissants de Russ, protégée de toutes les attaques, elle se laissa aller à la douce vague de chaleur qui l'envahissait, réchauffant chaque parcelle de son être. Pour la première fois de sa vie, elle se sentait autant en sécurité avec un homme qu'elle l'était avec son oncle ou avec son frère.

— Chérie, je meurs d'envie de rester là, à te tenir dans mes bras jusqu'à la nuit, mais la prochaine épreuve est sur le point de démarrer, annonça-t-il en déposant un baiser sur son front, comme on annonçait l'événement dans le haut-parleur. Cela ne t'ennuie pas de m'attendre ?

Abby se hissa sur la pointe des pieds et l'embrassa sur la joue, avant de répondre :

— Tout ira bien, ne t'en fais pas. Toutefois, je veux que tu me promettes d'abord quelque chose.

— Quoi ?

— D'être prudent.

— Tu peux compter sur moi. J'ai un rendez-vous ce soir que je compte bien ne pas manquer.

Devant son sourire empreint de tendresse, elle sentit une myriade de petits frissons la parcourir de part en part.

Deux heures s'étaient écoulées. Abby, songeuse, était en train de reconduire le hongre bai à l'écurie. Pourquoi la situation semblait-elle tout à coup lui échapper ? Avait-elle fait quelque chose qui avait déplu à Russ ? Car à la fin de la dernière épreuve, Russ avait eu un comportement pour le moins étrange.

Après lui avoir annoncé qu'il avait quelque chose à faire, il lui avait demandé si elle voulait bien s'occuper d'installer Dancer dans sa stalle pour la nuit. Puis, il lui avait remis les clés du mobile home, lui avait donné un baiser furtif, et était monté dans un pick-up avec un autre cow-boy pour quitter l'arène dans un nuage de poussière.

— J'ai l'impression que ton maître nous mijote quelque chose, annonça-t-elle au cheval en l'étrillant. Dire qu'il est parti Dieu sait où, en nous laissant, toi et moi, nous débrouiller seuls ! C'était bien la peine de triompher dans l'arène pour se comporter de la sorte aussitôt après.

Dancer s'ébroua et frappa le sol de son sabot.

— Je suis parfaitement d'accord avec toi, s'écria-t-elle en flattant la robe du cheval. Mais que veux-tu, il faudra s'y faire !

Puis elle sortit de l'écurie et remonta le sentier qui menait au mobile home. A peine avait-elle introduit la clé dans la porte qu'elle aperçut le pick-up qui revenait à vive allure. Il s'arrêta devant le mobile home, et Russ en sauta prestement. Le camion redémarra, et Russ s'avança vers elle, un bras derrière le dos.

— Tout va bien ? s'enquit-elle.

— Absolument ! répondit-il, avec un air de triomphe.

Qu'était-il donc en train de manigancer ? se demanda-t-elle, intriguée.

— Bonne Saint-Valentin, ma chérie, s'écria-t-il en dévoilant ce qu'il cachait derrière son dos.

Une magnifique rose rouge.

Abby sentit les larmes lui monter aux yeux. Elle prit la rose tendue d'une main tremblante.

— Oh, Russ ! C'est magnifique.

Il l'enlaça et la serra contre lui.

— Je n'avais pas l'intention de te faire pleurer.

90

— Je n'y peux rien, balbutia-t-elle en laissant sa joue aller contre son large torse. C'est l'émotion. Jamais personne n'a fait preuve d'une telle gentillesse à mon égard. Merci.

— Ce sont des larmes de joie, j'espère !

Elle hocha la tête :

— Oh, oui !

Posant la tête contre sa poitrine, elle l'entendit soupirer de soulagement.

— Je voulais t'en offrir une douzaine, mais lorsque J.B. et moi sommes arrivés, la fleuriste était en train de fermer. Elle nous a vendu ses deux dernières roses.

— C'est tout simplement parfait, approuva-t-elle.

— Je suis heureux que cela te plaise, répondit-il en déposant un baiser sur ses cheveux. Et maintenant, rentrons nous doucher et nous changer. Avant d'aller dîner, et danser ! Prépare-toi à vivre un bal dont tu te souviendras longtemps !

Lorsqu'ils arrivèrent au restaurant, Russ glissa quelque chose à l'oreille de l'hôtesse qui, avec un sourire entendu, les accompagna jusqu'à une petite table confortable, éclairée aux chandelles, un peu à l'écart. En traversant la salle bondée, ils tombèrent sur plusieurs amis de Russ qui étaient déjà attablés avec leurs petites amies. Après s'être salué, chaque couple, d'un accord tacite, resta à sa place : tout était fait pour que rien ne vienne troubler le romantisme de la Saint-Valentin, songea Abby.

Le dîner se déroula à la perfection. Abby avait l'impression de vivre un rêve éveillé.

— Où se déroule le bal ? lui demanda-t-elle comme ils se dirigeaient vers le pick-up.

— Certains concurrents ont essayé d'obtenir une salle privée dans l'un des restaurants du coin, mais tout était déjà réservé. Du coup, le bal va se dérouler au centre d'activités du camping, expliqua Russ en l'aidant à monter sur le siège du passager. Le propriétaire a dû convertir les deux pièces en une seule, sinon, nous nous serions retrouvés à danser entre la piscine et les tables de ping-pong, conclut-il en riant.

Elle sourit et répondit :

— Cela me rappellera Crawley. Je me sentirai tout à fait dans mon élément.

— Tu plaisantes ? demanda-t-il d'une voix étonnée.

— Pas du tout.

Il referma la portière et contourna l'avant du véhicule, avant de se glisser au volant.

— Crawley est donc si petit ? s'enquit-il.

— Tu n'imagines même pas, répondit-elle en riant. La population ne dépasse pas cinq à six cents habitants.

— C'est tout ? s'exclama-t-il d'un air surpris. J'avais compris que tu venais d'une petite ville, mais je ne m'étais pas rendu compte que c'était à ce point.

Le pick-up quittait le parking.

— C'est tout pour la population humaine, expliqua-t-elle avec un sourire. Mais en têtes de bétail, c'est une autre histoire. Je crois que le ministère de l'agriculture en a recensé environ cinq mille dans les fermes et les ranchs des environs.

— Je suppose que c'est une région de grands espaces, comme je les aime, constata-t-il.

Ils eurent vite fait de parcourir la courte distance qui les séparait du terrain de camping.

— Il faudra que tu viennes un jour, je te ferai visiter le coin, répondit-elle sans pouvoir s'en empêcher.

Il était en train de garer son pick-up derrière le mobile home. Une fois le véhicule rangé, il se tourna vers elle et son sourire la fit trembler de désir.

— Méfie-toi, un de ces jours, je te prendrai au mot et accepterai ton invitation.

— Vraiment ? demanda-t-elle d'un ton plein d'espoir.

Elle se sentit tout à coup très ridicule, puérile. Mais elle s'en fichait bien ! Elle ne mentait pas lorsqu'elle avait dit à Mercedes qu'elle n'avait pas de temps pour un homme dans sa vie ni pour une relation à distance. Pourtant, la simple idée de ne plus jamais voir Russ lui était intolérable. Il déposa un rapide baiser sur ses lèvres et, souriant, posa la main sur la poignée de sa portière.

— J'ai bien l'impression que je vais accumuler les *miles* prochainement, chérie.

Abby sentit son cœur s'arrêter de battre. Quel soulagement de savoir que Russ souhaitait continuer à la voir, même après son retour au Nebraska ! Lorsqu'il lui ouvrit sa portière, elle descendit et noua les bras autour de son cou.

— Tu peux compter sur moi pour ne pas te laisser l'oublier, cow-boy, dit-elle en l'attirant contre elle.

— Pour le moment, contente-toi de te blottir dans mes bras, répondit-il en la serrant et en l'embrassant à perdre haleine.

Puis, reculant d'un pas, il prit sa main dans la sienne.

— Je crois que nous ferions mieux d'aller au bal avant que j'oublie toute galanterie.

Manifestement, sa présence à son côté depuis leur départ des *Vignes* le soumettait à une véritable torture.

Quoique… inutile de se mentir, elle devait bien admettre que ce n'était pas tellement plus facile pour elle.

Lorsqu'elle était arrivée en Californie pour retrouver son oncle, elle ne s'attendait pas du tout à tomber sur un homme aussi exceptionnel.

Pourtant, dès l'instant où elle avait fait la connaissance de Russ, un sentiment dont jamais elle n'aurait soupçonné l'existence s'était éveillé au plus profond de son être. Quand elle était dans ses bras, elle reprenait confiance en elle, se sentait sûre de ses actes et, grâce à son soutien, parvenait à se convaincre enfin qu'elle ne ressemblait en rien à sa mère.

Ils se dirigeaient maintenant vers le bâtiment où le bal avait lieu. Elle leva les yeux vers son beau visage. Son instinct premier ne l'avait pas trompée : Russ Gannon était un homme droit, digne de confiance. Il était le premier homme qu'elle rencontrait doté de la même intégrité que l'oncle Grant.

— Salut, Russ ! s'exclama un cow-boy coiffé d'un chapeau noir, orné d'une plume de faucon, qui lui faisait un grand signe de la main de la table où il était assis.

Russ lui répondit par un petit signe de tête et la guida vers lui.

— Je te présente J.B. Gardner et sa femme Nina, annonça-t-il. Je les avais chargés de nous réserver deux places.

Abby reconnut la petite blonde qu'elle avait déjà aperçue dans les tribunes pendant les compétitions.

— Je croyais que tu ne viendrais plus, Russ, ajouta J.B. en se levant, alors qu'ils approchaient.

Après avoir fait les présentations, Russ avança une chaise à Abby qui y prit place. Il se pencha alors vers elle et lui demanda :

94

— Que veux-tu boire, chérie ?

Son souffle chaud lui caressa la peau et un frisson de désir la fit tressaillir.

— Un Coca m'ira tout à fait.

En regardant Russ et J.B. se diriger vers le bar improvisé qui avait été dressé de l'autre côté de la salle pour l'occasion, Abby ne put s'empêcher de sourire. Russ faisait peut-être du vin pour vivre, mais, avec sa large carrure et ses hanches étroites, il appartenait sans conteste à la race des vrais cow-boys ! Et ce qui lui faisait tout particulièrement battre le cœur, c'était sa démarche un peu insolente, sexy en diable, qui lui coupait le souffle.

— Je vois que vous aimez autant regarder Russ que moi J.B., constata Nina avec un sourire.

Abby hocha la tête en signe d'assentiment.

— La vue n'est pas désagréable, n'est-ce pas ? constata-elle, mutine.

Les deux femmes se regardèrent un moment en riant, puis Nina reprit :

— Vous rendez-vous compte du nombre de cœurs féminins que vous avez brisés ce soir ?

Abby, soudain désarçonnée par cette affirmation, fronça les sourcils :

— Je ne comprends pas.

Nina désigna du doigt les nombreuses femmes qui se trouvaient dans la salle.

— Regardez : elles ont toutes les yeux braqués sur Russ.

Abby parcourut la salle du regard. Seigneur ! La jeune femme disait vrai. Elle opina du chef et Nina enchaîna :

— Cela fait des années qu'elles ont toutes des vues sur lui, mais il ne semble rien remarquer. On ne l'a jamais vu inviter une femme au rodéo, vous êtes la première, conclut-elle en souriant.

— Vraiment ? répondit Abby, submergée par une vague de chaleur qu'elle ne pouvait expliquer.

Nina hocha la tête.

— Toutes ces femmes paieraient cher pour être à votre place, à cet instant précis. Je ne parle même pas de plus tard dans la nuit, conclut-elle, malicieuse.

Abby sentit ses joues s'empourprer. Avant qu'elle ait eu le temps de trouver quelque chose à répondre, leur conversation fut interrompue par un lecteur de CD dont on avait monté le son et plusieurs couples se dirigèrent vers la piste de danse improvisée.

— J.B., mon héros, c'est notre chanson ! s'exclama Nina d'une voix forte en apercevant les deux hommes qui revenaient vers leur table. Que comptes-tu faire à ce sujet ?

— Eh bien, je vais danser avec la plus jolie fille du Texas ! répondit l'intéressé, le visage fendu d'un large sourire, en posant leurs verres sur la table, avant de l'attraper par la main pour la faire lever. Allez, ma belle, voyons un peu combien de fois je vais t'écraser les pieds !

Abby regarda le couple évoluer sur la piste de danse, et un sourire se dessina sur ses lèvres. Aucun doute, Nina et J.B. s'adoraient !

— Veux-tu danser avec moi ? lui chuchota Russ au creux de l'oreille.

Lorsqu'elle sentit ses lèvres frôler sa joue, chaque parcelle de son corps fut parcourue de picotements. Incapable de dire un mot, elle hocha la tête et accepta la main qu'il lui tendait. Ils s'avancèrent pour se joindre aux autres couples qui tournoyaient sur la piste.

— Sais-tu à quel point tu es belle ce soir ? demanda Russ en la prenant dans ses bras.

Prise au dépourvu par son compliment, elle secoua la tête. Il l'attira plus près et reprit :

— Je peux te dire qu'à cette minute précise, tous les hommes célibataires et la moitié des hommes mariés présents aimeraient être à ma place.

Avec un sourire, elle noua les bras autour de ses épaules.

— J'aurais cru que c'était plutôt les femmes de l'assistance qui pensaient cela en me voyant avec toi.

La chanson s'arrêta pour laisser place à une nouvelle mélodie langoureuse.

— Veux-tu aller te rasseoir ou accepterais-tu une nouvelle danse ?

Abby leva les yeux vers le beau visage aux traits réguliers. Comme elle aimait sentir les bras vigoureux l'enlacer, son corps solide pressé contre le sien !

— Je crois que j'aimerais danser encore.

Il la serra encore plus fort que lors de leur premier slow et leurs corps se mirent à évoluer au rythme de la musique. Ils étaient seuls au monde, c'était comme si tous les autres avaient disparu. Elle ne voyait même plus les regards envieux des autres femmes. En dehors de l'homme qui la tenait si tendrement contre lui, plus rien ne comptait.

Lorsqu'il baissa la tête pour l'embrasser tendrement derrière l'oreille, son cœur se mit à battre plus vite et une délicieuse chaleur la gagna, la faisant vibrer de tout son corps. Elle en avait la chair de poule. Elle se délectait du contraste entre leurs deux corps et de la perfection avec laquelle ils s'accordaient.

— Je pourrais te tenir ainsi dans mes bras toute la nuit, dit-il.

Au contact des lèvres qui frôlaient son oreille, un feu ardent se mit à parcourir ses veines. Un désir d'une violence inouïe la fit frissonner et elle s'agrippa à son cou. Elle sentit le corps de Russ vibrer contre le sien, souple, pressant, et elle s'abandonna dans ses bras, délicieusement affolée par la vague de plaisir qui montait en elle.

Dans une demi-conscience, elle perçut quelques mots de la chanson qui les emportait. Le chanteur était en train de fredonner une mélodie langoureuse qui parlait du bonheur de faire l'amour avec la femme de ses rêves. Elle ferma les yeux, frappée par l'évidence. Comment n'avait-elle pas compris plus tôt ?

Elle désirait Russ comme jamais elle n'avait désiré un autre homme. Elle voulait sonder la profondeur de sa passion, sentir ses mains robustes glisser sur son corps.

De tout son cœur, de toute son âme, elle voulait que ce soit Russ qui, le premier, lui fasse l'amour.

6.

Sentant Abby reculer, Russ desserra son étreinte à contrecœur. Allons ! avait-il encore passé les bornes sans s'en rendre compte ? La jeune femme avait dû sentir à quel point il perdait tout contrôle à son contact. Pas étonnant qu'elle veuille mettre de la distance entre eux. Il lui était impossible de rester dans la même pièce qu'elle sans qu'il finisse aussi excité qu'un gamin de dix-sept ans caché dans le vestiaire des filles.

Maudissant son manque de maîtrise de soi, il aspira une longue bouffée d'air et baissa les yeux vers la femme la plus désirable qu'il ait jamais rencontrée. Mais au lieu de l'incertitude qu'il s'attendait à y lire, c'était la passion et le désir qui enflammaient son visage. Russ sentit son cœur tambouriner dans sa poitrine, et son corps se tendre de désir, presque jusqu'à la douleur.

— Abby.

Elle se pencha vers lui et lui chuchota :

— Rentrons au mobile home, Russ.

— Chérie… Si nous partons maintenant…

Elle esquissa un doux sourire timide. Submergé d'émotion, il fut obligé de se taire.

— Je sais, dit-elle en posant un doigt sur ses lèvres.

— Tu es sûre ?

Etait-elle vraiment en train de lui dire qu'elle voulait qu'ils fassent l'amour ?

— Je n'ai jamais été aussi sûre de ce que je voulais, affirma-t-elle en hochant la tête.

Il poussa un long soupir et, lui prenant la main, la ramena à la table à laquelle J.B. et Nina les attendaient.

— Je suis désolé d'écourter la soirée, mais je crois que nous allons regagner nos quartiers.

Avec un sourire, J.B. jeta un coup d'œil à Nina, puis à Russ :

— Nous étions justement en train de parler de rentrer aussi.

Après un rapide signe de tête, Russ fit volte-face et entraîna Abby vers la porte :

— A demain, lança-t-il à ses amis.

Une fois dehors, il inspira l'air vivifiant de la nuit de février. Si seulement cela pouvait apaiser le flot d'adrénaline qui s'était répandu dans ses veines. Sa libido sommeillait depuis bien trop longtemps et lui soufflait de soulever Abby dans ses bras et de se précipiter vers le mobile home aussi vite que ses jambes pourraient le porter. Il se força néanmoins à passer son bras autour de ses épaules et à ralentir. Il avait besoin de réfléchir à ce qui allait se passer entre eux, à l'impact que cela aurait sur l'un comme sur l'autre.

C'était la première fois qu'elle se donnait à un homme, il en aurait mis la main au feu. Le simple fait de savoir qu'il était celui qu'elle avait choisi pour perdre sa virginité suffisait à allumer un véritable brasier en lui.

Bien sûr, elle lui avait affirmé qu'elle savait ce qu'elle faisait. Pourtant, il devait d'abord s'assurer qu'elle disait vrai, que sa décision n'était pas simplement due au feu

100

de l'action : il voulait qu'elle le désire avec son cœur, autant qu'avec son corps.

A cette pensée, Russ sentit sa poitrine se serrer. Allons, ce souhait était une pure folie !

Une fois arrivé devant la porte du mobile home, Russ baissa les yeux vers elle. Et comme chaque fois, il fut stupéfait par sa beauté. Il avait devant lui la plus belle femme du monde. Et cette femme s'offrait à lui.

Alors pourquoi se sentait-il aussi confus ? La réponse lui apparut aussitôt, et le laissa désemparé. Il devait être fort, et ne pas profiter de la situation. Mais il n'arrivait pas à croire qu'il était sur le point de renoncer à ce qu'il désirait le plus au monde, et de son plein gré. Qu'il allait faire une croix sur une nuit qui serait sans doute la plus grisante, la plus importante de sa vie. Mais il n'avait pas le choix : s'il n'avait pas d'abord la certitude qu'elle comprenait à quel point ce cadeau qu'elle s'apprêtait à lui faire comptait pour lui, il n'irait pas plus loin.

— Chérie, tu ne peux pas savoir combien j'ai envie de toi, combien il me serait difficile de te laisser maintenant. Pourtant, je préférerais ne pas faire l'amour du tout, plutôt que de te voir regretter une seule minute de ce que nous sommes sur le point de partager.

Au contact de sa paume douce sur sa joue, il sentit une pointe de désir monter en lui et, à son immense soulagement, elle répondit sans baisser un instant le regard :

— Je sais exactement ce que je veux, Russ : toi !

Il l'attira à lui et enfouit son visage dans sa chevelure au parfum d'herbes sauvages.

— Abby, je te désire tellement !

Puis, après l'avoir embrassée avec passion, il recula d'un pas et, attrapant ses clés, il lui lança :

— Rentrons !

Il déverrouilla la porte à la hâte et alluma la lumière. Une fois à l'intérieur, il prit le temps de poser son chapeau sur le petit placard, retira sa veste en jean, puis l'aida à enlever la sienne.

Sans doute allait-elle penser qu'il avait perdu la tête, mais il n'y pouvait rien. Il fallait qu'il prenne son temps s'il voulait que son cerveau recommence à fonctionner normalement. Il pourrait alors lui poser la question qu'il devait lui poser : il devait, une fois pour toutes, être fixé sur la question de sa virginité.

Une fois qu'il eut un peu repris ses esprits, il la prit dans ses bras et la serra contre lui à l'étouffer.

— Je veux te demander quelque chose. Même si tu considères que ce ne sont pas mes affaires, je veux que tu me répondes avec la plus grande honnêteté.

— D'accord, approuva-t-elle, un peu hésitante.

Le souffle chaud de la jeune femme sur sa peau nue, que découvrait l'échancrure de sa chemise, aiguillonnait son désir. Décidément, elle mettait vraiment son sang-froid à rude épreuve. Avec un immense effort de concentration, il essaya de rassembler ses idées :

— Abby, es-tu toujours vierge ?

Elle prit une longue inspiration, et répondit après un silence :

— Oui.

Il sentit un nœud se former au creux de son estomac.

— C'est bien ce que je craignais, murmura-t-il.

Inclinant la tête en arrière, elle leva les yeux vers lui :

— Est-ce que cela a de l'importance ?

— Oh, oui, cela a beaucoup d'importance.

En voyant la vulnérabilité qui se peignait sur son ravissant visage, il s'empressa de la rassurer :

— Ne te méprends pas. Je suis très sensible à l'honneur que tu me fais en me choisissant comme premier amant. Tu ne dois cependant pas oublier que comme c'est pour toi la première fois, il se peut que je te fasse un peu mal. Et je préférerais mourir plutôt que te faire souffrir de quelque façon que ce soit, conclut-il en laissant son doigt courir sur son menton.

Le rose lui monta aux joues.

— Je sais que la première fois ne va peut-être pas être très agréable, répondit-elle d'une voix qui était presque un murmure. Mais pourquoi voulais-tu savoir si j'étais vierge ?

— Parce que maintenant que je le sais, je vais prendre mon temps, te faire l'amour tout en douceur. Si ce n'était pas le cas, j'aurais pu me montrer plus fougueux. Abby, je vais faire tout ce qui est en mon pouvoir pour te combler, je t'en donne ma parole.

Devant le regard de Russ, assombri par le désir, Abby sentit un frisson d'excitation la parcourir. Sa bouche s'empara de la sienne. Le contact de ses lèvres était si doux qu'elle sentit les larmes lui monter aux yeux.

Il allait lui faire l'amour avec la même douceur, la même tendresse, elle le savait. Si le moindre doute subsistait dans son esprit à l'idée de se donner à lui, il fondit comme neige au soleil.

Les paupières closes, il approfondit son baiser. Tandis que sa langue jouait langoureusement avec la sienne, lui laissant entrevoir la promesse d'une union bien plus intime encore, elle sentit une myriade de petits frissons courir le long de son cou.

Abby sentit la main de Russ glisser dans son dos, sous son T-shirt, et son cœur se mit à battre à coups redoublés. Les doigts agrippés à sa chemise, elle se retint à lui comme si sa vie en dépendait.

Les mains de Russ couraient maintenant le long de ses hanches, caressant sa peau, pour venir s'arrêter à la naissance de ses seins, et un désir brûlant, nouveau pour elle, fusa dans ses veines. Elle voulait sentir ses mains sur son corps, elle voulait qu'il la touche comme jamais un homme ne l'avait touchée.

Lorsqu'il fit sauter l'attache qui fermait son soutien-gorge, puis en repoussa la dentelle pour pouvoir cueillir la rondeur de ses seins entre ses mains, Abby, emportée par une vague de chaleur, sentit un désir incroyable monter au creux de ses reins.

Elle vacilla, ses jambes se dérobant sous elle. Il la retint fermement et lui murmura à l'oreille :

— Ça te plaît ?

— Mumm ! gémit-elle avec délice.

Il accéléra le rythme des caresses sur son sein, et elle eut l'impression que son corps s'embrasait.

— Et si tu te déshabillais ? suggéra-t-il d'une voix sensuelle.

Elle souleva ses paupières et plongea ses yeux dans les siens. Il était en train de lui demander sa confiance, et elle mourait d'envie de la lui donner. Mais en même temps, elle se sentait nerveuse. Il fallait qu'il la rassure, qu'il la guide.

Incapable de prononcer une parole, elle se contenta de hocher la tête en signe d'assentiment et s'apprêta à retirer son T-shirt.

— On a tout notre temps, ma chérie, l'interrompit-il en retenant sa main. Laisse-moi t'aider...

104

Avec une infinie douceur, il la prit dans ses bras et la porta jusqu'au lit. Il s'agenouilla devant elle, lui retira ses chaussures et commença à lui baiser délicatement chaque pied.

Abby poussa un soupir de ravissement. Non seulement Russ savait éveiller en elle des sensations qu'elle n'avait jamais ressenties auparavant, mais en plus il la respectait, et faisait tout pour qu'elle se sente à l'aise. Sa délicatesse la touchait au-delà de tout.

Il se redressa, l'entraînant avec lui. Ils étaient debout, face à face.

— A ton tour, dit-il en plaçant les mains de la jeune femme sur le revers de sa chemise.

Cette manière de lui laisser prendre l'initiative, sans la brusquer, la conquit. Il ne la forcerait à rien, il saurait prendre son temps. Il était vraiment l'homme le plus adorable qu'elle ait jamais rencontré.

Elle déposa un baiser sur sa poitrine, et sa respiration saccadée et ses yeux assombris de désir la ravirent. Encouragée par le plaisir que, visiblement, elle lui procurait, elle dégagea sa chemise de la taille de son jean et entreprit d'en défaire les boutons.

C'était la première fois qu'elle déshabillait un homme : c'était enivrant. Elle se sentait soudain tellement puissante.

Mais lorsqu'elle fit glisser le vêtement sur les larges épaules masculines, dessinées à la perfection, elle eut l'impression de perdre le souffle. Elle frôla de ses doigts tremblants les muscles de son torse puissant, avant de dessiner les lignes qui couvraient son ventre ferme. Il était debout devant elle, totalement immobile.

Un duvet châtain clair couvrait sa peau chaude, se resserrant pour ne plus former qu'une ligne fine juste au-dessous de son nombril. Incapable de s'en empêcher, elle suivit la médiane d'un doigt jusqu'à ce qu'elle disparaisse dans la ceinture de son jean taille basse.

Elle leva alors les yeux. Russ, les paupières closes, avait la tête renversée en arrière. Elle avait beau le rendre fou de désir, il la laissait explorer son corps sans bouger. Et c'était pour elle qu'il acceptait ce supplice, songea-t-elle, pleine de reconnaissance.

— Russ ?

— Qu'y a-t-il, ma chérie ? demanda-t-il, sa poitrine se soulevant au rythme de sa respiration saccadée.

Résolue, elle lui prit la main et la posa sur sa taille :

— Retire-moi mon T-shirt.

D'un geste brusque, il pencha la tête en avant, rouvrit les yeux et, la tenant captive de son regard brûlant, accéda à sa demande. Après avoir laissé tomber le vêtement à côté de sa jupe qui s'étalait en corolle sur le sol, il glissa les doigts sous les bretelles de son soutien-gorge. Ses mains redescendirent doucement, entraînant le minuscule morceau de dentelle avec elles. Abby eut l'impression que ses jambes allaient se dérober sous elle.

— Tu es si belle, murmura-t-il en prenant ses seins entre ses mains pour les caresser doucement.

Il pencha alors la tête et ses lèvres prirent le relais de ses doigts. Abby frissonna. Juste ciel ! Comme la sensation de sa bouche brûlante contre ses seins était intense ! Il allait la faire mourir de plaisir, à coup sûr. Elle s'agrippa à lui afin de ne pas perdre l'équilibre.

Il releva la tête, la prit dans ses bras et, au contact de son corps musclé, des frissons la parcoururent de part en part. Le sang qui coulait dans ses veines semblait s'être transformé en miel brûlant. Elle sentait tout son être vibrer d'un désir que jamais elle n'aurait pensé possible.

— Tu es tellement douce que j'ai l'impression que je vais me consumer sur place, murmura Russ d'une voix rauque.

Il la fit légèrement reculer et guida les mains de sa compagne jusqu'au bouton de son jean.

— J'ai envie de te sentir contre moi. Déshabille-moi, ma chérie...

Le cœur battant à se rompre, elle défit le bouton et commença à faire glisser la fermeture Eclair. Jamais elle n'avait fait cela auparavant, et la sensation du désir grandissant de Russ lui fit perdre ses moyens.

— Je crois que tu ferais mieux de le faire toi-même... Montre-moi, apprends-moi, Russ.

Il lui lança un regard intense, brûlant, et, se penchant contre son oreille, il se mit à la mordiller doucement tout en murmurant :

— Je vais t'apprendre, chérie, je suis sûr que tu es une élève très douée...

Il recula, et elle le regarda baisser lentement la fermeture à glissière de son jean, qu'il fit glisser avec son boxer le long de ses jambes musclées. Une fois nu, il se retourna pour la regarder. Le cœur d'Abby s'arrêta un instant de battre, avant de se remettre à cogner follement dans sa poitrine. Le corps de Russ était une véritable œuvre d'art.

Les muscles bien dessinés de ses larges épaules, de son torse puissant et de ses cuisses faisaient songer à ceux d'une statue. Ses hanches semblaient sculptées dans le marbre. Mais c'était la vue de son sexe dressé qui lui faisait battre le pouls.

Elle leva les yeux vers son visage et son sourire sexy la fit tressaillir de tout son être. Elle fut submergée par une nouvelle vague de désir, et se pressa contre lui, confiante, abandonnée.

— Laisse-toi aller, ma chérie, murmura-t-il, tu ne le regretteras pas. Je vais te faire découvrir des sensations merveilleuses...

Il laissa ses doigts courir sur la taille du jean d'Abby, effleurant la peau tendre de son ventre, et ce fut comme si tous ses sens s'éveillaient en même temps, tandis que toutes ses facultés de parler, de respirer ou même de penser, semblaient l'abandonner.

Sans un mot, il chercha son regard, et elle sut qu'elle ne pourrait pas s'arrêter avant d'avoir apaisé le feu qui montait en elle. Tout son corps n'était plus qu'attente, et Russ s'empressa de la délivrer de cette délicieuse souffrance.

Lentement, il déboutonna le jean d'Abby, puis il s'agenouilla devant elle, et elle le sentit soulever ses jambes l'une après l'autre pour achever de lui ôter le vêtement.

Les paupières toujours closes, elle attendit qu'il fasse de même avec son slip. Mais lorsqu'il plaça ses mains chaudes sur ses genoux, avant de, lentement, remonter sur ses cuisses, elle sentit son corps frémir. Oubliant tout de ce qu'il se préparait à lui faire vivre, elle se concentra sur les sensations exquises qu'il lui procurait.

Toute à l'excitation de ses caresses, elle s'abandonna à ses doigts experts, venus se poser sur la minuscule dentelle qui cachait sa féminité. Ses caresses se firent plus pressantes, et elle se sentit chavirer.

Il se pencha en avant et l'embrassa sur le ventre, juste au-dessous du nombril.

— Est-ce que tu aimes ça ? murmura-t-il d'une voix rauque.

Incapable de parler, elle acquiesça de la tête.

— Veux-tu que j'arrête ?

Non ! S'il arrêtait maintenant, elle allait en mourir, elle en était sûre.

— Non, balbutia-t-elle.

— Tant mieux, reprit-il en un souffle, car je meurs d'envie d'aller plus loin, de découvrir ton corps, d'en explorer les moindres parcelles...

Le son de sa voix la fit frissonner et, sous ses caresses, son corps fut parcouru de mille sensations.

— Je veux te voir nue, Abby.

— O-oui, balbutia-t-elle.

D'une main, il fit lentement glisser son slip de dentelle le long de ses jambes, puis il se redressa et recula d'un pas pour la contempler.

D'instinct, elle voulut se couvrir, mais le regard de Russ était empreint d'une telle admiration, d'un tel désir, qu'elle se ravisa et, fièrement, s'offrit à ses yeux.

— Tu es parfaite, déclara-t-il en la prenant dans ses bras.

Lorsque sa peau entra en contact avec celle de Russ, des ondes sensuelles la parcoururent aussitôt, affolant tous ses sens, et le désir qui la consumait embrasa son corps. Russ l'embrassa, la laissant goûter sa passion, et quand, enfin, il releva la tête, ils s'agrippèrent l'un à l'autre, haletants.

— Je... je crois que nous ferions mieux de nous allonger...

Abby approuva d'un signe de tête. Il la prit de nouveau dans ses bras, et la déposa sur le lit, à la fois tendre et passionné. Il s'éloigna d'un pas, et Abby le vit se pencher sur son jean pour attraper quelque chose dans sa poche.

— Russ, j'ai une faveur à te demander, murmura-t-elle alors.

— Tout ce que tu veux, ma chérie, répondit-il en revenant vers elle, la couvrant d'un regard rempli de désir.

— Je préférerais que tu... éteignes la lumière.

Il obtempéra, et le mobile home fut plongé dans une légère pénombre.

Telle une ombre chinoise, elle le vit revenir vers elle, et lorsqu'il la rejoignit dans le lit, elle resta parfaitement immobile, le cœur battant la chamade. Il la prit alors dans ses bras, et elle eut l'impression que son corps déjà ne lui appartenait plus.

— Tout va bien ? lui demanda-t-il en lui embrassant le front. Tu es bien sûre de vouloir que je te fasse l'amour ?

Pensant qu'elle n'était peut-être pas encore prête, il était en train de lui donner une dernière chance de tout arrêter. Ce nouveau témoignage de sa délicatesse la toucha profondément.

— Russ, je n'ai plus qu'une certitude : si tu ne me fais pas l'amour maintenant, je ne te le pardonnerai jamais, chuchota-t-elle.

Elle se serra contre lui. Ainsi encouragé, Russ couvrit son sein frémissant d'une main et, baissant la tête, saisit la pointe durcie dans la chaleur de sa bouche. Son goût l'enivrait. Il ne pourrait jamais se lasser de sa douceur.

Tout en dessinant des arabesques de sa langue sur sa poitrine, il laissa sa main glisser jusqu'à sa hanche, puis caressa doucement ses genoux. Sa peau satinée avait la douceur de la soie et tandis qu'il remontait doucement vers l'intérieur de ses cuisses, il la sentit frémir contre lui.

— Russ ?

Abandonnant son sein, il déposa une guirlande de petits baisers sur ses lèvres, tout en caressant les boucles rousses et humides entre ses jambes. Elle se figea.

— Tout va bien, chérie. Laisse-moi te donner du plaisir, fais-moi confiance.

Posant les lèvres sur les siennes, il l'embrassa avec passion et, tout doucement, laissa ses doigts explorer le cœur de sa féminité. Dans un brusque sursaut elle souleva les hanches et ses ongles se fichèrent dans les épaules de Russ alors que la passion montait en elle. Elle accompagnait ses caresses en ondulant du bassin, avec des petits gémissements.

— Aimes-tu ce que je te fais, Abby ?

— Oh, oui ! balbutia-t-elle.

— Tu veux que je continue ?

— Je t'en prie, fais quelque chose, haleta-t-elle. Tu me rends folle.

Son souffle chaud vint lui chatouiller l'oreille, et il murmura :

— Est-ce que tu me veux en toi ?

Elle frissonna contre lui.

— Oui. Je t'en prie... J'ai besoin...

— Juste un instant, dit-il en attrapant le préservatif qu'il avait placé sous son oreiller.

Après l'avoir enfilé, il glissa les jambes entre ses cuisses, avant de s'allonger sur elle. Dans l'ombre, il la regarda. Il n'avait jamais rien vu de plus beau que ce visage de femme transporté par la passion. Sa poitrine se gonfla d'une émotion sur laquelle il n'osait pas mettre un nom.

Lentement, avec une infinie douceur, il se glissa en elle et ne la quitta pas du regard au fur et à mesure qu'il la pénétrait. Elle était un peu tendue, il le sentait, mais n'était-ce pas inévitable, la première fois ?

Son corps frémissait du besoin de la faire totalement sienne. Mais il lutta pour maintenir le peu de maîtrise de lui qu'il avait encore.

— Continue… j'ai besoin de toi, murmura-t-elle.

Il lui fit un sourire encourageant.

— Patience. Encore un peu et je serai tout en toi.

Il la sentit soudain se détendre et s'enfonça encore un peu jusqu'à la fleur de sa virginité. Avec un profond soupir, il la serra contre lui et la regarda.

— Je ne vais pas te faire de mal, Abby, chuchota-t-il.

Et, s'emparant de sa bouche, il brisa la mince barrière et s'enfouit totalement dans sa chaleur moite.

Son petit cri surpris roula contre ses lèvres. Il s'en voulut de ne pas avoir été plus délicat encore. Il aurait voulu absorber sa douleur, l'effacer, et la faire disparaître sous ses caresses. Il savait que la jeune femme venait d'éprouver un choc, mais chaque parcelle d'instinct mâle en lui le poussait à lui faire l'amour. Serrant les dents, il s'exhorta à se retenir. Une seule chose comptait : assouvir les besoins de la femme qui était dans ses bras.

— Respire, mon ange, détends-toi, dit-il en écartant les mèches de cheveux humides qui barraient la joue d'Abby.

Le sang qui battait dans ses veines faisait bourdonner ses oreilles. Combien de temps allait-il encore pouvoir supporter cette délicieuse torture ? Il était au bord du gouffre. Avec la chaleur douce d'Abby qui l'enveloppait comme un gant de velours, son propre corps était, malgré lui, secoué de pulsations incontrôlables. Mais il devait lutter contre la fièvre qui enflammait ses sens.

Elle ouvrit les yeux et ses lèvres esquissèrent un sourire timide :

— J'ai eu une sensation bizarre.

Il sentit la pression autour de lui se relâcher légèrement et parvint à sourire :

— Et tu vas en découvrir d'autres, je te le promets.

Il déposa un baiser sur son front et commença à bouger en elle, d'abord lentement, guettant sur son visage le moindre signe d'anxiété. Mais elle avait l'air d'y trouver un immense plaisir, et cela ne fit qu'accroître son désir.

Il ferma les paupières, essayant d'apaiser son corps brûlant d'un feu qui malmenait les ultimes vestiges de sa volonté.

— Russ ?

— Oui ?

— Je t'en prie, fais-moi l'amour, pria-t-elle d'une voix rauque.

Russ cessa de se poser des questions. Il s'enfonça lentement en elle, luttant pour retenir le plaisir qu'il sentait prêt à déferler. Et lorsque Abby commença à onduler en cadence sous lui pour le rejoindre dans le ballet sensuel de l'amour, il chavira corps et âme.

Aux spasmes de plaisir qui traversaient le corps abandonné de la jeune femme, Russ devina que le sommet approchait. Il accéléra la cadence et, tout à coup, il la vit sombrer dans l'extase.

Ses ongles griffaient ses épaules, le son de sa voix criait son nom, et il sentit son propre plaisir jaillir sans prévenir. Pantelant, il se pressa contre elle tout en se laissant aller à cette intense jouissance qui les consumait.

Dans une dernière poussée, il frissonna et, avec un râle, s'abandonna tout entier à la tension qui montait par vagues toujours plus hautes.

Une fois le dernier frisson apaisé, il enfouit son visage dans sa soyeuse chevelure rousse. Ses poumons brûlants étaient comme vidés d'oxygène.

— Comment te sens-tu ? demanda-t-il.

— Oh, Russ, murmura-t-elle d'une voix brisée qui le fit frissonner.

Inquiet, il leva la tête vers son beau visage. Des larmes baignaient ses joues. Il se maudit : et s'il avait tout gâché ?

— Mon Dieu, Abby, je te jure que j'ai essayé d'être doux. Je n'ai pas cherché à...

D'un doigt sur ses lèvres, elle le fit taire.

— Tout va bien, Russ.

— Alors pourquoi pleures-tu ? demanda-t-il, en lui essuyant les joues.

— Je viens de vivre la plus belle expérience de ma vie, répondit-elle avec un sourire tremblant. Grâce à toi.

En proie à un intense soulagement, il se rallongea à son côté, et l'attira dans ses bras.

— Non, chérie. C'est moi qui dois te remercier. C'était... exceptionnel.

Elle se blottit contre lui.

— Est-ce toujours comme ça, Russ ?

Il laissa sa joue reposer contre son cœur et se grisa de la sensation de son souffle chaud sur son torse nu.

— Uniquement quand l'homme et la femme sont faits l'un pour l'autre.

— Hum ! Alors tu es sans aucun doute celui qui est fait pour moi, conclut-elle.

114

— Et toi, la femme faite pour moi, répondit-il en déposant un baiser sur le sommet de son crâne.

Il écouta la respiration de sa compagne se faire de plus en plus régulière à mesure que la torpeur la gagnait. Son cœur se serra. Jamais une autre femme ne lui procurerait ce sentiment de plénitude qu'il ressentait avec Abby dans ses bras.

Incapable de trouver le sommeil, il se mit à réfléchir à ce qu'ils venaient de partager. Abby avait attendu longtemps avant de partir à la découverte de sa propre sexualité. Bien sûr, il était heureux qu'elle l'ait choisi pour être celui auquel elle avait offert sa virginité.

Mais aussi reconnaissant qu'il soit, il savait bien que cette relation était vouée à l'échec.

Sa vie était aux *Vignes*, il travaillait pour la famille qui l'avait recueilli le jour où il s'était retrouvé seul dans la vie, sans un endroit où aller.

En outre, Abby méritait ce qu'il y avait de mieux. Et lui avait tellement peu à offrir : il ne possédait même pas sa propre maison ! Qu'est-ce qu'une femme avec le niveau d'études d'Abby irait faire avec un homme comme lui ?

Il devait se contenter de rêver d'elle dans cette ferme du Nebraska. Bien sûr, elle l'avait invité à venir la voir, mais tous deux savaient bien que cela ne risquait pas d'arriver. Elle allait rentrer à Crawley, ouvrir son cabinet vétérinaire et oublier son existence.

Pour sa part, il savait qu'il ne se remettrait pas de sitôt d'avoir ainsi tenu la femme de ses rêves de ses bras, et d'avoir dû y renoncer.

Il poussa un soupir plein de frustration.

Dans une semaine ou plus, Abby allait partir et même si renoncer à elle serait pour lui une torture, il ne pouvait supporter l'idée de passer une minute sans elle.

Alors, c'était décidé ! Jusqu'à son départ, il allait se fabriquer autant de souvenirs que possible, jusqu'au jour où il devrait lui dire adieu.

7.

— Mercedes, tu as l'air ailleurs, constata Abby en entrant dans le bureau de la jeune femme, situé au deuxième étage du bâtiment du Domaine de Louret.

— Non, pas tant que ça, répondit celle-ci en faisant signe à Abby de prendre place. Et toi, ce rodéo, c'était bien ?

Abby sentit ses joues s'empourprer.

— Comment es-tu au courant ? demanda-t-elle.

— J'ai entendu Grant poser des questions à Eli au sujet de Russ.

— Il n'a pas fait ça !

— Si, j'en ai bien peur.

— Oh, Seigneur ! s'exclama Abby, le visage maintenant cramoisi.

Combien d'autres membres de la famille Ashton étaient-ils au courant de son escapade avec Russ ? Bien sûr, elle ne cherchait pas à dissimuler sa relation avec lui. Néanmoins, elle aurait préféré garder certains détails pour elle. Sans lui laisser le temps de réfléchir à une réponse, Mercedes reprit avec un sourire :

— Ne t'en fais pas. Ton oncle n'a pas fait allusion à ton week-end avec Russ. Il s'est contenté de demander à Eli quel genre d'homme il était. Et comme Eli pense

117

le plus grand bien de Russ, il lui a tressé des couronnes de lauriers.

Ouf ! songea Abby, qui se sentit aussitôt rassérénée.

— Cela n'explique pas pour autant comment tu savais que j'étais partie à Wild Horse Flats avec Russ.

— Il m'a suffi de faire un petit calcul, répondit Mercedes d'un air important.

— Mais je ne vois pas comment…

Avec un éclat de rire, la jeune femme commença à énumérer sur ses doigts :

— Un homme quitte la ville pour le week-end. Ce même week-end, une femme qui justement semblait plus qu'intéressée par cet homme quelques jours auparavant, disparaît à son tour. Ajoute les questions qu'un oncle vigilant va poser au patron de l'homme en question et tu as le résultat.

Abby ne put s'empêcher d'éclater de rire.

— Tu sais que tu ferais un excellent détective privé !

— Je ne suis pas si douée que ça, répondit Mercedes avec un haussement d'épaules. Si c'était le cas, je pourrais trouver un moyen de m'introduire dans la propriété du très estimé Spencer Ashton.

— Tu n'as toujours pas réussi à organiser une rencontre ? s'enquit Abby, d'une voix pleine de compassion.

— Non. Il refuse de parler à quiconque aux *Vignes*.

— Depuis combien de temps n'as-tu pas vu ton père ?

Mercedes répondit d'un air pensif :

— J'avais quatre ans lorsqu'il a divorcé de ma mère pour épouser sa secrétaire, Lilah. A vrai dire, je ne pense pas l'avoir vu plus de trois ou quatre fois depuis cette époque.

118

Abby ne put réprimer la peine qui la submergea en pensant à ce que vivait sa famille de Californie ! Non seulement Spencer les avait abandonnés exactement comme il avait abandonné l'oncle Grant et Grace, mais au lieu de déménager à des milliers de kilomètres, il était resté dans la même région. Cela n'avait pu qu'accroître, au fil des ans, la douleur et le sentiment d'humiliation qu'il avait infligés à Caroline et à ses enfants.

— As-tu jamais essayé de te rendre chez Spencer, de frapper à la porte et de lui demander bien en face pourquoi il ne veut voir aucun de vous ? s'enquit Abby.

Qui, à l'exception de l'oncle Grant, avait déjà tenté d'approcher le doyen des Ashton ? se demanda-t-elle.

Avec un soupir résigné, Mercedes secoua la tête :

— Je ne serais pas la bienvenue. Si l'un d'entre nous mettait un pied sur le sol de leur propriété, sa femme ferait sans doute une crise effroyable.

— On pourrait pourtant s'attendre à plus de bonnes manières de la part de la dame du « château », déclara Abby avec un sourire ironique.

— En effet, répliqua Mercedes d'un ton pince-sans-rire.

Et elles rirent en chœur. Une fois leur hilarité calmée, Abby jeta un regard en coin vers Mercedes et demanda :

— J'ai entendu dire que le « château » servait de cadre à de nombreux galas de collectes de fonds pour des œuvres de bienfaisance. Tu es au courant ?

— Oui. Ils louent le parc et la salle de bal pour des événements importants comme des mariages ou des galas.

— Et sais-tu quand a lieu la prochaine réception ?

— J'ai justement lu un article dans le journal de ce matin : la *Société Equestre* locale organise son gala annuel pour réunir des fonds demain soir. Pourquoi cette question ? conclut Mercedes d'un air intrigué.

— Tu sais bien qu'en tant que vétérinaire, rien ne m'intéresse plus que le sort réservé aux animaux, et comme en plus j'adore les chevaux... Que dirais-tu de te rendre à cette soirée demain soir ?

Qu'est-ce qui pouvait bien l'avoir poussée à faire cette suggestion ? songea-t-elle aussitôt, surprise de sa propre audace. Ce serait bien la première fois de sa vie qu'elle s'introduirait dans une fête sans être invitée.

— Tu es sérieuse ? demanda Mercedes en se penchant vers elle.

— Bien sûr, répondit Abby en haussa les épaules d'un air dégagé. Que diable peuvent-ils nous faire, au pire ? Nous prier de partir ?

Un sourire entendu se dessina sur les lèvres de Mercedes.

— Si Spencer n'est pas à San Francisco, il sera peut-être là. Je pourrais essayer de le raisonner, ce qui nous permettrait probablement d'éviter un face-à-face moins discret.

— Tout à fait, approuva Abby, souriante. En fait, si tu réfléchis, tu lui rendrais même un fier service.

— Craig et moi devions sortir dîner demain soir. Mais je suis sûre de pouvoir le persuader de nous accompagner. Il est toujours partant pour passer un smoking et se mêler aux personnalités en vue de Napa Valley, constata-t-elle en levant les yeux au ciel, d'un air résigné.

— De mon côté, je vais demander à Russ s'il veut venir.

Le cow-boy ne devait pas être du genre à apprécier ce style de soirée mondaine, mais elle pouvait toujours tenter sa chance.

— Alors, c'est décidé ! s'exclama Mercedes en attrapant le téléphone. Je vais appeler Cole pour le prévenir que je ne serai au bureau ni aujourd'hui ni demain.

Abby la regarda d'un air étonné.

— Mais la réception n'a lieu que demain soir. Pourquoi...

— As-tu une robe de cocktail dans tes valises ? l'interrompit Mercedes avec un sourire en appuyant sur les touches du téléphone.

Abby secoua la tête et constata en riant :

— Nous allons repartir pour une expédition shopping, n'est-ce pas ?

— Oui. Et demain, coiffeur et manucure !

Mercedes reporta son attention sur le téléphone. Une fois son frère prévenu de son absence pour la journée, elle attrapa son sac, contourna le bureau et prit Abby par le bras.

— Allons-y. J'ai vu une robe turquoise ravissante dans une boutique de Napa l'autre jour. Sur toi, elle serait divine.

Abby se laissa entraîner sans protester. Comment diable en était-elle arrivée là ? Elle n'avait jamais possédé, encore moins porté, une robe de cocktail. Les occasions de s'habiller n'étaient pas fréquentes à Crawley. La plupart du temps, elle vivait en bottes, jean et en chemise de flanelle ou de coton, suivant la saison. Enfin ! Puisque jusqu'ici, son voyage en Californie ne lui réservait que des surprises, pourquoi ne pas y ajouter celle de porter une robe habillée pour rencontrer son grand-père ? Ce ne serait jamais qu'une première de plus.

Et maintenant, il ne lui restait plus qu'à convaincre Russ de venir avec elle.

Abby et Russ, blottis l'un contre l'autre sur le canapé, regardaient un vieux film avec John Wayne en mangeant du pop-corn. Russ était songeur. Que diable se passait-il dans la jolie petite tête d'Abby ? Depuis le début de la soirée, elle lui lançait des coups d'œil bizarres. Deux ou trois fois, elle avait paru sur le point de dire quelque chose, puis elle s'était ravisée.

Déterminé à en savoir plus sur ce qui se passait, il la serra contre lui, embrassa ses cheveux et lui demanda :

— Chérie, est-ce que je me trompe, ou as-tu envie de me parler ?

— Pourquoi me demandes-tu cela ? murmura-t-elle en se nichant contre son torse.

Au contact de son corps, il eut le plus grand mal à se concentrer pour comprendre que sa réponse était en fait une question. Elle n'avait dit ni oui, ni non, voilà qui était bien inquiétant.

— Que se passe-t-il ? demanda-t-il, sentant un frisson d'appréhension lui parcourir le dos.

Elle poussa un soupir étouffé, puis, s'asseyant bien droite, plongea les yeux dans son regard interrogateur :

— Est-ce que tu veux m'accompagner quelque part demain soir ?

Elle aurait pu lui demander de se jeter du haut d'une falaise avec lui, il aurait sans doute accepté sans discuter. Mais la légère réticence qu'il sentit dans sa voix l'alerta : il devait essayer d'en savoir plus.

— Où ça ?

— Chez les Ashton.

122

Sa réponse le prit totalement au dépourvu : il s'attendait à tout sauf à cela. Il en savait assez long sur ce désir d'explication avec leur père que nourrissaient Grant et les enfants Ashton des *Vignes*. Si elle espérait recevoir un accueil chaleureux de son impitoyable grand-père et de sa croqueuse de diamants de femme, Abby allait en être pour ses frais. Et, songea-t-il avec inquiétude, elle aurait de la peine.

— Pourquoi veux-tu leur rendre visite ?

— Mercedes, son petit ami et moi, allons nous inviter à l'une de leurs soirées de collectes de fonds. Je n'arrive pas à croire que l'idée vient de moi ! conclut-elle en hochant la tête.

Tous les instincts protecteurs de Russ étaient sur le qui-vive. Cette idée ne lui disait rien qui vaille ! On courait droit au désastre, avec un grand « D ».

— Es-tu bien sûre de savoir ce que tu fais, Abby ? D'après ce que je sais, la femme actuelle d'Ashton, Lilah, est très hostile aux enfants des deux premiers mariages de Spencer. Et aussi adorable que tu sois, je ne pense pas qu'elle partage mon opinion sur la petite-fille de son mari.

— Elle ne saura même pas qui je suis, rétorqua Abby en haussant les épaules. En outre, d'après tout ce que je sais, je pense qu'aucun d'entre eux ne reconnaîtra Mercedes.

Russ n'en était pas si sûr.

— Chérie, même s'ils n'évoluent pas dans les mêmes cercles que ses propres enfants, tu peux être sûre que Lilah Ashton a fait en sorte de savoir qui sont Eli, Cole, Mercedes et Jillian. Ne serait-ce que pour les tenir à distance de sa famille.

123

— Tu crois vraiment qu'elle est jalouse ? demanda Abby d'un air dubitatif.

— Oh oui ! s'exclama-t-il en passant un bras autour de ses épaules fines. Si Lilah Ashton n'était pas ce genre de femme, elle aurait encouragé Ashton à rester en contact avec les siens.

Abby, songeuse, eut un signe d'assentiment.

— Tu as sans doute raison. Toutefois, Mercedes espère voir Spencer pour le convaincre qu'il serait dans l'intérêt de tous qu'il accepte de rencontrer l'oncle Grant et ses autres enfants. Je ne pense pas qu'il puisse nier qu'il serait franchement déplaisant d'étaler leurs sordides histoires de famille dans la presse.

Russ comprenait tout à fait que personne ne veuille en arriver là. Mais l'idée d'Abby se fourrant dans un tel guêpier, comme l'agneau dans la gueule du loup, ne lui plaisait pas du tout. De surcroît, frayer avec la haute société de Napa n'était pas exactement la façon dont il envisageait de faire la fête. Hélas, avait-il vraiment le choix ? Il imaginait mal Craig Bradford en chaperon. Ce bellâtre était bien trop content de lui pour lui inspirer confiance. Jamais il ne saurait protéger Abby et Mercedes d'une humiliation publique.

— Et je devrais porter un smoking ? demanda-t-il alors.

— Tu vas venir ? s'exclama-t-elle d'un air réjoui.

Russ acquiesça. Comme elle avait l'air heureuse ! Il était prêt à se déguiser en pingouin tous les jours et même à l'accompagner à ce genre de réception où il se sentait comme un poisson hors de l'eau, pour le simple plaisir de la voir sourire comme ça.

— Il n'est pas question que je te laisse y aller seule, poursuivit-il. A quelle heure veux-tu que je passe te chercher ?

— Oh, Russ, merci ! s'écria-t-elle en se jetant à son cou.

Elle semblait exulter. Décidément, il aurait fait n'importe quoi pour elle, aurait même bravé les flammes de l'enfer si elle l'avait souhaité. Elle n'avait qu'à demander. Il la vit se pencher en arrière pour lui décocher un sourire qui fit bouillonner son sang dans ses veines. Son cœur se mit à battre à coups redoublés dans sa poitrine.

— Tu es en train de penser que je suis adorable ?

Il lui sourit en retour.

— Touché ! confirma-t-il en hochant la tête. Et j'ai bien l'intention de te prouver à quel point.

— Voilà qui me semble bien intéressant.

Ses joues de porcelaine s'empourprèrent. Bien. Elle savait donc exactement ce qu'il avait derrière la tête. A l'expression qu'affichait le ravissant visage aux traits délicats, il comprit qu'elle ne lui opposerait aucune résistance, bien au contraire...

Son corps souple comme une liane pressé contre le sien, la lueur de désir qu'il décelait dans son beau regard émeraude, et il oublia tout : le gala de charité, la visite chez les Ashton. Rien ne comptait plus que la femme qu'il tenait dans ses bras et la violence du désir qui l'animait.

Il se leva et lui tendit la main. Elle l'accepta sans hésiter une seconde. En silence, ils se dirigèrent vers la chambre et refermèrent la porte derrière eux. Les mots étaient inutiles. Ne savaient-ils pas tous les deux exactement ce qu'ils voulaient ? Revivre les instants d'intimité magiques qu'ils avaient partagés au cours du week-end.

D'une main, il retira la pince qui retenait les cheveux auburn. Il passa alors ses doigts dans les mèches soyeuses qui tombaient sur les épaules de la jeune femme dans un joyeux enchevêtrement de boucles.

— Tu devrais lâcher tes cheveux plus souvent, dit-il en déposant un léger baiser sur son front. Ils sont tellement beaux.

Alors qu'il s'apprêtait à la prendre dans ses bras, il se rendit compte à son ravissement qu'Abby avait d'autres projets. Tendant les mains vers lui, elle avait saisi les revers de sa chemise. Sans le quitter des yeux, elle tira d'un coup sec, faisant sauter les boutons-pressions.

Amusé, il la regardait sans bouger. Il voulait savoir jusqu'où elle était capable d'aller, jusqu'à quel point elle oserait prendre les devants. Il ne fut pas long à le savoir.

Le sourire dont s'éclaira son doux visage fit danser des flammes dans ses veines, et lorsqu'elle posa ses paumes chaudes sur son torse, ce fut comme si elle le marquait au fer rouge. Du bout des doigts, elle lui frôla la peau et Russ sentit le souffle lui manquer. Et lorsqu'elle commença à caresser son torse en suivant une ligne imaginaire, il eut l'impression qu'une étincelle venait d'embraser tous ses sens. Pour un peu, il en serait tombé à genoux.

— Est-ce que tu aimes ce que je suis en train de te faire ? demanda-t-elle en continuant sa lente exploration.

Il hocha la tête.

— Je vais mourir de plaisir et aller tout droit au paradis.

126

Les mains d'Abby s'aventurèrent plus loin et son sourire sexy l'avertit qu'il n'était pas au bout de ses surprises.

— Peux-tu me dire quelque chose ? chuchota-t-elle d'une voix suggestive.

— Que veux-tu savoir ? répondit-il dans un soupir haché.

D'un doigt, elle suivit l'étroite ligne de duvet qui allait de son nombril à la ceinture de son jean.

— Est-ce que tous les hommes ont cette petite toison sur le ventre, même quand leur torse est lisse ?

Au fil des secondes qui passaient, il avait de plus en plus de mal à retrouver son souffle. Son esprit avait cessé de fonctionner. Mais lorsque, enfin, il comprit sa question, il ne put retenir un sourire.

— Tu veux parler du chemin du paradis ?

Devant son sourire alangui, il sentit son corps se durcir encore.

— Pardon ? demanda-t-elle, étonnée.

— C'est connu sous plusieurs noms : le chemin du paradis, le chemin du trésor, la ligne droite pour le paradis.

Son rire cristallin s'éleva dans la pièce, roulant dans ses oreilles comme une mélodie divine.

— Tu plaisantes ! Je n'arrive pas à croire comment vous, les hommes, avez un nom pour toute chose.

— Non, je ne plaisante pas, rétorqua-t-il en lui décochant un sourire entendu.

Il la prit dans ses bras et se pencha pour lui murmurer à l'oreille :

— Dès que nous serons au lit, je vais te donner un cours accéléré sur toutes les choses auxquelles nous donnons de jolis noms...

— J'ai hâte d'être ton élève... Je suis sûre que tu es un excellent professeur.

— Mais une telle leçon nécessite quelques contraintes, murmura-t-il à son oreille. Et la plus importante : la candidate doit se dévêtir...

Sans la quitter des yeux, il commença à la déshabiller, puis il l'attira contre lui. La sensation de son corps chaud contre le sien le transperça jusqu'à l'âme et il sentit son sexe tendu à en devenir douloureux.

Le contact des seins d'Abby contre sa poitrine lui procura le plus délicieux des plaisirs. Fou de désir, il se pencha et commença à les titiller du bout de la langue. Elle se cambra vers lui en gémissant, tendue de plaisir, et il la serra plus fort contre lui. Il adorait la sentir vibrer sous ses caresses.

Lorsqu'il pressa son sexe gonflé de désir contre le sien, il se sentit défaillir. Combien de temps allait-il pouvoir tenir sans qu'ils s'écroulent tous les deux ? La soulevant alors dans ses bras, il combla les quelques mètres qui les séparaient du lit et l'y déposa délicatement.

Sa chevelure flamboyante s'étalait en éventail soyeux sur l'oreiller, son regard émeraude étincelait de passion et le bleu des draps faisait ressortir la fraîcheur de sa peau d'albâtre. Il avait vraiment devant lui la plus belle femme du monde, se répéta-t-il en s'efforçant de mémoriser chacun des détails de ce moment divin. Jamais, sa vie durant, il ne pourrait oublier cette vision.

Il s'allongea à son côté, la prit dans ses bras et, inclinant la tête, câlina ses lèvres de sa langue. Sa bouche, passionnément sollicitée, s'ouvrit comme une fleur et il se glissa à l'intérieur, se délectant de la façon dont elle lui répondait. Il ne se lassait pas de son goût sucré.

Etourdi d'une volupté qu'il voulait lui faire partager, il fut pris au dépourvu en sentant la main délicate de sa partenaire remonter le long de sa cuisse et se refermer sur son sexe brûlant.

S'efforçant de lutter contre le plaisir intense qui s'emparait de chaque cellule de son corps, il tenta de retarder le moment de s'abandonner complètement à ses caresses.

— J'espère que tu aimes ça, chuchota-t-elle.

Au son de sa voix rauque et au contact de son souffle chaud sur sa peau, il sentit une lave brûlante se propager dans ses veines. Sans pouvoir s'en empêcher, il arquait les reins sous la main qui explorait son membre raide de convoitise avec une lenteur exquise.

Incapable de se contenir plus longtemps, Russ saisit la main d'Abby et la porta à ses lèvres. Il y déposa un baiser, avant de secouer la tête.

— Ne te méprends pas, haleta-t-il. J'adore ce que tu es en train de me faire. Mais si tu continues, je ne réponds plus de ce qui pourrait arriver.

— Vraiment ? s'enquit-elle.

Il hocha la tête et, posant ses mains sur ses épaules, l'attira plus près de lui.

— J'ai l'intention d'être en toi pour l'apothéose, annonça-t-il en embrassant la peau qui palpitait à la naissance de sa gorge. Et là, je compte bien t'entraîner avec moi jusqu'aux confins du paradis.

— Russ, je t'en prie, fais-moi l'amour, supplia-t-elle d'une voix rauque qui lui retourna les sangs.

Il attrapa l'un des petits paquets d'aluminium rangés dans son tiroir de table de nuit et l'ouvrit. A sa grande surprise, alors qu'il enfilait son préservatif, Abby le lui prit des mains :

— Laisse-moi t'aider, pria-t-elle.

Il déglutit et demanda en hochant la tête d'un air perplexe :

— Est-ce que tu sais faire ?

Elle lui jeta un regard mutin.

— Non, mais cela ne doit pas être bien compliqué…

C'était la première fois qu'il voyait une femme prendre l'initiative de lui enfiler son préservatif. Cela l'excitait prodigieusement.

— Je suis tout à toi, reprit-il.

Fasciné, il l'observa un long moment, puis, avec un sourire, il la guida.

Sans un mot, il l'enlaça et lorsque leurs corps vibrèrent à l'unisson, elle immisça délicatement sa main entre eux et reprit l'initiative. Elle lui ouvrit le chemin de son intimité et plongea son regard dans le sien, tandis qu'étincelant d'une passion égale à la sienne, il s'enfouissait lentement en elle.

Une émotion indicible l'envahit soudain. Si son esprit avait encore fonctionné, la puissance de ce sentiment l'aurait terrifié. Mais, avec le corps d'Abby enroulé autour de lui, son sexe enserrant le sien comme un écrin de soie, seuls comptaient l'embrasement de ses sens et la faim qu'il avait d'elle.

Ses yeux la sondaient jusqu'à l'âme et, Russ, ralentissant la cadence, guetta la montée de l'orgasme sur ses traits. Devant son visage transporté de désir, son cœur se mit à battre la chamade. Au-delà de son corps, c'était son cœur, son âme qu'elle lui offrait.

Abby fut bientôt secouée par des spasmes de plaisir, et il comprit qu'ils étaient sur le point d'atteindre les cimes de la volupté. Il aurait voulu retarder cet instant, le faire durer, à l'infini. L'onde de plaisir qui submergea sa partenaire rejaillit sur lui par vagues et faillit avoir raison de son sang-froid. Mais il avait promis de la conduire d'abord au paradis. Il glissa ses doigts sur le sexe de la jeune femme et la caressa pour décupler son plaisir.

Il la sentait vibrer sous ses caresses et, en même temps, se contracter autour de son membre tendu, comme si elle avait voulu que leurs deux corps ne fassent plus qu'un pour la vie. Puis elle bascula dans l'extase, emportée par des vagues de désir. Incapable de se contrôler plus longtemps, Russ s'abandonna et, s'enfonçant profondément en elle, il la rejoignit sur les cimes de la félicité.

Jamais il n'avait connu femme plus incroyable, plus extraordinaire qu'Abby. Il ne doutait plus des sentiments qu'elle lui inspirait à cette minute précise : ce qu'il ressentait pour elle allait bien au-delà d'un désir assouvi, du plaisir découlant de l'union physique d'un homme et d'une femme.

Son cœur battait dans sa poitrine comme il n'avait jamais battu. C'était la première fois qu'il ressentait une émotion aussi intense. Etait-il en train de tomber amoureux d'Abby ?

Lovée contre lui, elle s'endormit bientôt d'un sommeil paisible au creux de ses bras, son corps souple et chaud blotti contre le sien. Les yeux fixés au plafond, Russ essaya d'analyser ce qu'il ressentait. Qu'était-il arrivé à son projet de passer un moment agréable avec elle, avant de reprendre la routine de sa vie, lorsqu'elle regagnerait le Nebraska ?

Il hocha la tête. Quel idiot il avait été de croire cela possible. A la seconde même où il avait croisé son regard, il aurait dû savoir qu'il était perdu.

8.

Sa main dans celle de Russ, Abby se tenait devant la véranda des Ashton à la suite de Mercedes et Craig. Elle poussa un long soupir. Elle avait les nerfs à fleur de peau. Hormis le fait que sur les talons hauts de dix centimètres que Mercedes l'avait poussée à acheter, elle craignait à tout instant de se casser la cheville, maintenant qu'ils s'apprêtaient à pénétrer dans la demeure de Spencer Ashton, elle était en proie aux pires doutes. Dans quel guêpier était-elle allée les fourrer, tous ? Mercedes serait-elle reçue avec courtoisie ? Ou la femme et les enfants de Spencer allaient-ils fondre sur elle comme des vautours sans pitié ?

Son propre sort ne la préoccupait guère. D'une part, ils ignoraient tout de son identité, d'autre part, elle avait toujours su se défendre seule. Elle eut du mal à étouffer un rire nerveux. Et si quelqu'un en doutait, il pouvait toujours demander à ce pauvre Harold de confirmer qu'elle était plutôt du genre coriace.

— Comment te sens-tu ? demanda Russ alors qu'ils approchaient de l'entrée.

Abby, souriante, hocha la tête et, se penchant vers lui, lui murmura au creux de l'oreille :

132

— Divinement bien. Et comment pourrait-il en être autrement, avec toi à mon bras ? Avec ton jean et ta chemise de chambray, tu es déjà très beau. Mais en smoking, tu es magnifique.

— J'étais justement en train de penser que c'était toi qui étais à croquer, chérie, répliqua-t-il avec un regard appuyé. Mais aussi jolie que tu sois dans cette robe turquoise, j'ai hâte d'être à plus tard pour pouvoir te la retirer.

Devant son sourire canaille, elle sentit un frisson d'excitation la traverser. Il savait exactement trouver les mots pour distraire son esprit de ce qu'ils s'apprêtaient à faire. Pas étonnant qu'elle soit tombée amoureuse de lui aussi vite !

— Moi aussi, j'ai hâte de te retirer ce smoking, répondit-elle avec un sourire en coin.

Alors qu'ils entraient dans le hall de réception, Abby ne put s'empêcher de s'émerveiller devant l'opulence de la demeure de son grand-père. Avec ses murs en pierre, ses lourdes tentures de soie et son sol de marbre étincelant, cette pièce d'une grande élégance ressemblait à une salle de palais.

— Spencer est bien loin de ses racines du Nebraska, murmura-t-elle.

— Et nous sommes bien loin de la simplicité dans laquelle nous avons grandi aux *Vignes,* ajouta Mercedes d'une voix teintée d'amertume. Cet endroit devrait appartenir à ma mère de plein droit.

Combien elle comprenait la rancœur de Mercedes ! Après avoir hérité de la *Lattimer Corporation* que John Lattimer, le père de Caroline, lui avait léguée, Spencer avait manœuvré pour s'approprier la demeure de sa belle-famille. Comme si mettre la main sur la fortune

133

et les holdings de son beau-père ne lui avait pas suffi ! songea-t-elle avec rage. D'autant qu'hormis la piètre pension alimentaire qu'il avait ensuite versée pour Eli, Cole, Mercedes et Jillian, il avait totalement coupé les ponts avec Caroline et ses enfants.

Abby pressa la main de Mercedes d'un geste amical.

— Mon arrière grand-mère Barnett disait toujours qu'un jour ou l'autre on finit par payer pour ses actes. La malhonnêteté de Spencer finira par le rattraper au tournant.

— J'espère bien être là pour voir ça, répondit Mercedes avec un sourire reconnaissant.

— Champagne ? demanda un serveur en livrée qui s'avançait vers eux.

Craig prit l'une des flûtes de cristal sur un plateau d'argent ciselé. De sa main libre, il rajusta alors son nœud papillon tout en survolant la pièce du regard.

— Vous permettez que je me mêle un peu aux invités ? demanda-t-il.

— Vas-y, dit Mercedes en levant les yeux au ciel d'un air résigné.

— L'une d'entre vous désire-t-elle du champagne ? demanda Russ en attrapant deux des coupes qui restaient.

Avec un sourire, Abby secoua la tête.

— Pas pour moi, merci.

Mercedes lui prit le verre des mains.

— Merci, Russ. Toi, au moins, tu es accompagnée par un véritable chevalier servant, conclut-elle à l'intention d'Abby.

— Craig se montre-t-il toujours aussi...

Ses paroles vinrent mourir dans sa gorge. Difficile de trouver une manière diplomatique de décrire à quel point cet homme lui semblait manquer de délicatesse.

— Insensible ? Egoïste ? Superficiel ? finit Mercedes à sa place.

Abby opina du chef.

— Lorsque Craig a la possibilité d'évoluer avec l'élite mondaine de Napa Valley, je passe toujours au second plan. Je suppose que maintenant je m'y suis habituée, expliqua Mercedes.

Avant qu'Abby ait eu le temps de lui demander pourquoi elle continuait à sortir avec lui, une très belle jeune femme à la longue chevelure blonde et aux yeux d'un vert éblouissant s'approcha d'eux.

— Bienvenue au gala annuel de la *Société Equestre* de Napa Valley. Je suis Megan Ashton, se présenta-t-elle avec un sourire, la main droite tendue, votre hôtesse à la *Villa Ashton* et l'organisatrice de la soirée. Si vous avez besoin de quoi que ce soit, n'hésitez pas à me le faire savoir.

L'heure de vérité était arrivée, songea Abby en serrant la main offerte. Russ s'était raidi à son côté. Lui aussi s'attendait manifestement à une confrontation.

— Je m'appelle Abigail et je vous présente Mercedes.

La jeune femme salua à son tour Mercedes et reprit :

— Je suis vraiment heureuse que vous ayez pu vous joindre à nous ce soir.

— Nous nous appelons Ashton, comme vous, expliqua alors Mercedes sans aucun préambule. Abby est votre nièce du Nebraska et je suis votre demi-sœur.

Sous l'effet de la surprise provoquée par cette révélation, Megan écarquilla les yeux et laissa échapper un petit cri.

— Oh, mon Dieu ! Je me suis toujours demandé si nous nous rencontrerions un jour.

Avant qu'Abby ait eu le temps de préciser à Megan qu'elles n'étaient pas venues dans l'intention de créer un scandale, elle fut interrompue par une grande femme rousse, d'une cinquantaine d'années, qui se précipitait vers elles.

— Que faites-vous là ? s'exclama-t-elle en pointant un doigt parfaitement manucuré sur Mercedes.

— Maman, c'est...

Ses yeux bleus lançant des éclairs, elle coupa la parole à sa fille.

— Je sais très bien qui elle est.

— Bonsoir, Lilah, la salua Mercedes d'une voix glaciale.

— Vous avez un certain culot de vous présenter ici ! rétorqua Lilah d'une voix tremblante de colère.

Tiens ! Cette femme montrait peut-être tous les signes extérieurs de richesse et d'une position sociale confortable, mais elle ne semblait pas avoir coulé des jours tranquilles aux côtés de Spencer Ashton. Abby regarda Mercedes relever le menton, d'un air de défi, et soutenir le regard irrité de la femme.

— J'ai autant le droit que vous d'être ici. Plus même.

La voix de Mercedes s'évanouit dans un murmure. Abby admira le sang-froid de la jeune femme : la signification de ses mots n'aurait pu être plus nette. Elle venait clairement de faire comprendre à Lilah qu'elle savait que c'était sa liaison avec Spencer qui avait causé l'échec du premier mariage de Caroline, sa mère.

136

— Comment osez-vous venir chez moi et…

— Chez vous ? répéta Mercedes, impassible. Cette maison appartenait à la famille de ma mère bien avant son mariage avec Spencer ! Et bien avant que vous deveniez la secrétaire de mon père, reprit-elle d'une voix toujours égale.

Abby observait Lilah Ashton. Malgré ses traits lissés par la chirurgie esthétique, la rage se lisait sur son visage. Une petite veine sur sa tempe semblait même prête à éclater, trahissant le peu de contrôle de la femme de Spencer.

— Sortez ! hurla Lilah. Si vous ne sortez pas immédiatement, je…

— Tu ne feras rien, maman, dit Megan en posant une main apaisante sur le bras de Lilah. Je t'en prie. Tout le monde nous regarde. Tu es en train de te donner en spectacle.

Elle fit un petit salut de la tête aux curieux qui s'étaient rapprochés, espérant entendre un bon ragot à relater à leurs amis.

Lilah regarda les nombreux invités qui s'étaient agglutinés autour de leur petit groupe et son visage se fendit soudain du sourire le plus hypocrite qu'Abby ait jamais vu.

— C'est juste un petit malentendu, rien d'alarmant.

Sur ces mots, elle décocha un regard haineux à Mercedes et quitta la pièce d'un air hautain, comme une reine congédiant sa cour.

— Je suis vraiment désolée que ma mère se soit montrée aussi agressive, s'excusa Megan. Elle peut se montrer… difficile parfois.

— Votre père doit-il venir ? demanda Abby.

Megan secoua la tête.

— Il est rare qu'il assiste à ce genre d'événement. Vous espériez lui parler, n'est-ce pas ? demanda-t-elle avec un petit sourire amer.

— J'espérais, oui…, répondit Mercedes avec un signe d'assentiment.

Elle s'interrompit.

— Mais tout cela n'a pas d'importance.

— Je vous prie de m'excuser, fit un domestique en livrée en s'avançant. Miss Ashton, on vous demande aux cuisines.

— Je reviens tout de suite, affirma l'intéressée à Mercedes et à Abby avec un sourire. N'hésitez pas à visiter les lieux.

— Nous ferions mieux de partir, répondit Mercedes d'un ton empreint de mélancolie. Je suis désolée que notre présence ait créé un problème.

— Merci de nous avoir reçus avec une telle gentillesse, ajouta Abby en toute sincérité.

— Tout le plaisir a été pour moi, répondit Megan avec un sourire, en prenant les mains de Mercedes et d'Abby dans les siennes. Je suis heureuse de vous avoir enfin rencontrées.

Mercedes, incertaine, semblait incapable de prononcer les mots qui lui brûlaient les lèvres.

— Moi aussi, Megan finit-elle par dire en prenant sa demi-sœur dans ses bras.

Les yeux de Megan, se mirent soudain à briller de larmes contenues. Après s'être contentée de hocher la tête, elle fit volte-face et s'évanouit dans la foule.

— Je vais chercher Craig, dit Russ en s'éloignant à son tour.

— J'ai bien l'impression que nous avons perdu notre temps, constata alors Mercedes d'une voix lasse.

138

Abby secoua la tête et passa son bras sous celui de Mercedes.

— Je trouve que cela s'est plutôt bien passé. Tu as découvert que les autres enfants de Spencer à Napa Valley ne vous sont hostiles en rien, malgré leur mère.

— Megan est plutôt gentille, n'est-ce pas ? remarqua Mercedes d'un air pensif.

— Oui.

Abby, espérant la distraire de sa triste humeur, sourit.

— Lilah, en revanche, c'est une autre histoire. Je me demande comment elle aurait réagi si je lui avais sauté au cou en l'appelant grand-mère !

— Comment peux-tu dire une chose pareille ? s'exclama Mercedes en riant, si fort que plusieurs personnes se retournèrent, intriguées par une telle hilarité. Quelle peste tu fais !

— Je sais. Mais l'expérience aurait pu être vraiment intéressante, non ?

— Jusqu'au moment où on l'aurait transportée aux urgences : elle en aurait fait une syncope !

Son rire s'évanouit et Mercedes, soudain grave, prit Abby dans ses bras.

— Merci d'être ici avec moi. Jamais je n'aurais eu le courage de faire cela sans toi.

Abby la serra contre elle.

— J'aurais simplement voulu que Spencer soit là aussi.

— Ce sera peut-être pour une autre fois, répondit Mercedes d'un air las.

Russ et Craig revenaient vers elles. Pourvu qu'il y ait une autre fois, songea Abby en les suivant du regard. Et pourvu que Spencer reprenne vite ses esprits. Sinon, le jour où l'oncle Grant irait tout raconter à la presse, cela ferait un beau raffut.

Russ, lui non plus, ne quittait pas Abby des yeux. Comme elle avait bien su gérer la situation avec Lilah et Megan ! Elle n'avait pas dit grand-chose, pourtant sa solidité et son sang-froid avaient été d'un grand soutien pour Mercedes.

Il sentit sa poitrine se dilater d'une émotion sur laquelle il refusait de mettre un nom. Décidément, avec Abby, il n'était jamais au bout de ses surprises. Elle pouvait soigner un animal blessé dans n'importe quelle condition, et elle savait, au besoin, faire preuve d'un courage rare. Elle était formidable, et même bien plus que ça.

Une fois de plus, il sursauta en suivant le fil de ses pensées. Il était en train de tomber amoureux. Il ne pouvait plus le nier. Mais si elle était exceptionnelle, qu'avait-il à lui offrir, pour sa part ? Un beau jour, elle se lasserait de lui et irait vers un autre, un homme qui correspondrait mieux à la femme qu'elle était.

Ne paraissait-elle pas aussi à l'aise en robe du soir qu'en jean et en bottes ? Lui, en revanche, avait toujours l'impression d'être comme un poisson hors de l'eau quand il lui fallait s'habiller et frayer avec le beau monde. Et n'était-elle pas sortie diplômée de l'école de vétérinaire, en un temps record ? Tandis que lui était toujours inscrit à la dure école de la vie. Comment pourraient-ils jamais envisager un avenir commun avec de telles différences ?

Un sentiment d'angoisse le pénétra soudain, lui glaçant les sangs. S'il ne s'en était pas rendu compte auparavant, il était sûr désormais d'avoir compris : il devait rompre avec Abby avant que les choses deviennent trop sérieuses entre eux. Il n'avait pas le choix. Sinon, lorsque l'heure viendrait de la laisser rentrer au Nebraska, il n'était pas sûr de pouvoir survivre à son départ.

— Je ne vois pas pourquoi nous devons partir maintenant, Mercedes, se plaignit Craig. Cela fait une demi-heure à peine que nous sommes arrivés. J'étais en train de me faire plein de relations utiles.

— Je n'ai pas envie de rester plus longtemps, voilà tout, répliqua Mercedes, d'un ton sans appel.

— Ce n'est pas parce que tu es prête à partir que je le suis aussi, reprit Craig avec humeur.

Ils quittèrent la véranda et Russ tendit son ticket à l'un des responsables du parking. Une envie incontrôlable de mettre son poing dans la figure de Craig s'empara de lui. S'il n'avait jamais apprécié cet homme, il comprenait maintenant pourquoi : hormis son beau physique de surfeur blond et son charme facile, Craig Bradford, avec sa sensibilité et son ambition de limace, n'avait vraiment pas grand-chose à offrir.

— Voulez-vous nous excuser une minute, Craig et moi ? demanda-t-il alors, l'air de rien.

— Bien sûr, répondit Abby en lui lançant un regard surpris.

— Allez, viens, Craig, reprit-il en prenant l'homme par le bras. Nous devons parler tous les deux.

— A quel sujet, Gannon ? répondit ce dernier d'un air plein d'appréhension.

Une fois qu'il fut certain d'être hors de portée des oreilles de leurs compagnes, Russ baissa la voix et déclara d'une voix sèche :

— Si tu étais resté avec nous au lieu d'aller côtoyer des gens qui n'ont strictement rien à faire de toi, ni de ce que tu as à vendre cette semaine, tu saurais que Mercedes vient d'avoir une entrevue difficile avec la

141

femme de Spencer Ashton. Alors, elle n'a pas besoin de tes jérémiades, mon vieux !

— Tu n'as pas à me dire ce que j'ai à...

— Ne te fatigue pas, Bradford ! le coupa Russ d'un ton ferme. J'ignore quels sont tes sentiments pour Mercedes et cela ne me regarde pas. Mais quoi qu'il en soit, tu es prié de changer de comportement.

Et sans lui laisser le temps de protester, Russ revint vers l'endroit où les deux jeunes femmes les attendaient. A sa grande satisfaction, Craig vint se placer à côté de Mercedes et lui prit la main. Ce n'était pas le geste le plus tendre du monde, mais c'était un début. Qui sait, le cas de cet homme n'était peut-être pas encore complètement désespéré ?

— Que vous êtes-vous raconté ? demanda doucement Abby.

— Rien. Des histoires de garçons, répondit Russ en haussant les épaules.

Une fois son pick-up et le véhicule de Bradford avancés, il ouvrit la portière d'Abby, l'aida à monter, puis s'installa au volant. Elle lui décocha un sourire d'une sensualité qui fit courir des flammes dans ses veines et il oublia aussitôt la scène qui venait d'avoir lieu.

— Es-tu prêt à retirer ce smoking ? murmura-t-elle.

Bien sûr, il était un homme d'honneur. Pourtant, Russ savait que ce soir, il n'avait pas le choix. Il allait se montrer égoïste et lui faire l'amour une dernière fois. Puis il serait obligé de la laisser partir.

Il se força à sourire et répondit en hochant la tête :

— Oui. J'ai autant hâte de me débarrasser de ce costume de pingouin que de t'enlever cette petite robe turquoise si sexy.

— Alors qu'attends-tu ? demanda-t-elle d'un ton si aguicheur que Russ sentit son sang se transformer en lave brûlante.

Ils restèrent silencieux durant presque tout le trajet de retour aux *Vignes*. Aussitôt la porte du cottage refermée sur eux, Russ prit Abby dans ses bras. Le front plaqué contre le sien, il plongea les yeux dans son regard émeraude.

— Depuis le début de la soirée, je ne pense qu'à une chose, dit-il d'une voix haletante.

Elle noua les bras autour de sa taille et répondit en souriant :

— Tu veux dire, à part me retirer ma robe ?

Il hocha la tête en signe d'assentiment et, prenant son beau visage entre ses mains, il lui inclina la tête en arrière.

— C'était ça, mon idée fixe.

Pressant ses lèvres contre les siennes, il goûta encore une fois à la bouche de celle qui, pour lui, était la perfection faite femme. Il était déterminé à faire de cette nuit d'amour une nuit inoubliable, jusqu'au moindre détail. Mais lorsque, la plaquant plus près de son corps, il chercha à approfondir son baiser, il s'aperçut qu'Abby avait une idée derrière la tête.

Lorsqu'elle glissa sa langue entre ses lèvres, il sentit le feu qui dévorait son âme le consumer. Jamais il n'aurait cru possible de pouvoir s'enflammer ainsi pour une femme. Elle ne se rendait sans doute même pas compte du désir qu'elle attisait en lui.

Ses lèvres toujours sur les siennes, ses doigts s'affairaient à défaire les boutons de sa chemise et, en un clin d'œil, ses mains en écartèrent les revers et elle posa ses paumes sur son torse.

Mettant un terme à son baiser, elle lui décocha un sourire devant lequel il sentit son cœur s'arrêter de battre, avant de reprendre à coups redoublés. Ses yeux pétillaient de malice.

Elle commença par embrasser son épaule, avant de butiner sa peau enfiévrée et il oublia tout. A chaque pression de ses lèvres tendres, il sentait des frissons d'une intensité incroyable le traverser de part en part. Et lorsque ses lèvres se posèrent sur sa poitrine, et le titillèrent de toutes parts, il crut perdre pied.

— Chérie...

Sa voix était tellement rauque qu'il dut s'arrêter pour s'éclaircir la gorge.

— Tu vas me rendre fou, reprit-il, haletant.

Devant son regard lourd de sensualité, il sentit son désir monter en flèche.

— Préfères-tu que j'arrête ? demanda-t-elle d'une voix mutine.

Il déglutit dans l'espoir d'humecter sa gorge sèche.

— Non.

— Bien.

Avec un sourire, elle lui prit la main et l'entraîna jusqu'à la chambre.

— Je me sens d'humeur expérimentale ce soir, annonça-t-elle. Cela ne te dérange pas ?

Au ton suggestif de la voix féminine, à l'avidité qu'il lisait dans les beaux yeux émeraude, il sentit comme un éclair de désir le traverser pour venir se loger dans son bas ventre. Il n'avait pas de mal à deviner les pensées qui l'animaient. Un homme sain d'esprit pouvait-il repousser une jolie femme qui souhaitait le conduire à l'extase ?

144

— Non, pas du tout, s'entendit-il répondre, d'une voix heurtée. Tout cela commence à devenir très intéressant.

Ils étaient debout devant le lit. Que comptait-elle faire maintenant ? Il ne fut pas long à le savoir. Elle lui retira sa veste de smoking, et, après avoir défait ses boutons de manchette, lui enleva sa chemise.

Fasciné par chacun de ses mouvements, il refoula un halètement. Ses mains, affairées à défaire le bouton de sa ceinture de pantalon, venaient de lui effleurer le ventre. Lorsqu'elle baissa sa fermeture Eclair, il dut serrer les mâchoires en sentant la caresse de ses doigts déliés sur le coton qui recouvrait son sexe gonflé de désir.

— Je ne suis pas sûr de pouvoir tenir encore bien longtemps, murmura-t-il d'une voix rauque. Aussi jolie que tu sois dans cette petite robe turquoise, tu seras encore mieux sans.

Souriant, il fit mine de passer la main dans son dos, mais elle recula pour l'en empêcher, puis, lui lançant un regard brûlant, elle déclara :

— Une minute ! Je t'ai laissé explorer mon corps, ces derniers jours. Maintenant, c'est à toi de te laisser faire.

Lorsque, souriante, elle laissa un doigt glisser le long de son torse, jusqu'à la ceinture de son boxer, il sentit les pulsations de son pouls résonner dans ses oreilles.

— Je crois que l'élève est en train de dépasser le maître, parvint-il à dire.

Devant son sourire, il crut défaillir.

— C'est que tu es un excellent professeur. Et un amant hors pair, ajouta-t-elle.

Aiguillonné par un désir d'une intensité inouïe, il crut qu'il allait manquer d'air. Haletant, comme s'il venait de courir un marathon, il murmura :

— Je crois qu'il y a quelque chose que tu devrais savoir. Si tu continues à me toucher et à parler ainsi, je ne vais pas pouvoir attendre que tu aies pris le temps d'explorer mon corps en détail.

— Vraiment ? demanda-t-elle, soutenant son regard, tandis que, lentement, elle faisait glisser son pantalon le long de ses jambes.

— Vraiment ! confirma-t-il d'une voix étranglée.

Il serra les dents et, de toutes ses forces, tenta d'apaiser le brasier qui s'était allumé au creux de son ventre.

Elle se redressa, aventura les doigts sous son boxer et le fit glisser le long de ses cuisses. Jamais il n'avait ressenti un tel désir. Et lorsqu'elle referma la main sur son membre raidi, il crut qu'il allait perdre le contrôle de ses sens. Sa caresse audacieuse attisait toutes les parcelles de son corps, tendu à l'extrême. Etourdi, presque incapable de se contrôler, il lui attrapa la main et la plaqua sur son torse.

— Ma chérie, articula-t-il avec peine, j'adore ce merveilleux supplice, mais si tu continues, je ne réponds plus de rien…

— Ma caresse te procure donc un tel plaisir ? demanda-t-elle d'un air satisfait.

Russ répliqua dans un râle :

— Même un saint n'y résisterait pas !

Repoussant son pantalon et son boxer d'un coup de pied, il l'attira dans ses bras.

— Et maintenant, à mon tour de te torturer jusqu'à ce que tu demandes grâce.

146

Un lent sourire se dessina sur ses lèvres, creusant ses fossettes. D'une main, il la plaqua contre lui, tandis que de l'autre, il dégrafait sa robe.

— Je rêve de te débarrasser de cette robe depuis le début de la soirée, annonça-t-il en déposant des petits baisers sur la peau satinée de son cou.

Levant la tête, il sonda son regard jusqu'à l'âme et, les mains sur ses épaules, fit glisser le long de ses bras la robe qui vint s'étaler en corolle à ses pieds. Face au spectacle de son corps, il sentit son cœur s'emballer, et dut faire un effort sur lui-même pour ne pas perdre le contrôle de ses sens.

Les minuscules morceaux de dentelle noire qui la couvraient encore, loin d'arrêter son désir, ne faisaient que l'attiser : dévoilant à demi ses courbes les plus désirables, sa lingerie était beaucoup trop sexy pour qu'il puisse se contenir.

— Je suis bien content d'avoir ignoré que tu portais cela sous ta robe, dit-il en frôlant le porte-jarretelles qui retenait ses bas.

— Pourquoi ?

Au feu qui était monté à ses joues, à son ton haletant, il comprit que, comme lui, elle était vibrante de désir. Il sourit et dégrafa son soutien-gorge.

— J'aurais passé toute la soirée à essayer de me contrôler, et je crois bien que je n'y serais pas parvenu…

Après avoir fait glisser les bretelles du soutien-gorge le long de ses épaules, il repoussa la dentelle et prit ses seins entre ses mains.

— Tu es si belle, dit-il en baisant avec passion sa poitrine offerte.

147

Puis il se mit à dessiner le contour de ses seins tendus à petits coups de langue, jusqu'à lui arracher un gémissement de plaisir :

— Tu aimes ? demanda-t-il d'une voix rauque.

— Mmm...

— Veux-tu que j'arrête ?

— Si tu faisais ça, je ne te le pardonnerais jamais.

D'une main assurée, elle caressa le torse puissant de Russ, puis fit courir ses doigts autour de son mamelon.

— Et toi, tu aimes ?

Il ferma les yeux et un frisson le traversa.

— Oh, oui !

Sans lui laisser le temps d'expérimenter une autre caresse susceptible de lui faire perdre son sang-froid, il lui enleva son porte-jarretelles, ses bas et la débarrassa de son slip de dentelle. Puis, tirant le dessus-de-lit de couleurs vives, il déclara :

— Viens ici, mon ange.

Devant le sourire qu'elle lui décocha, il sentit ses hormones échapper à tout contrôle.

Il s'allongea sur le lit, enflammé par le désir qu'elle attisait en lui, prêt à lui faire l'amour. Avec cette torture à laquelle elle le soumettait, il se savait prêt à exploser à tout instant.

Il attrapa un préservatif dans la table de nuit, l'enfila, puis s'allongea aussitôt sur elle. Son sang se mit à bouillonner dans ses veines et, lorsqu'il s'enfonça en elle, il dut s'agripper aux draps des deux mains. Elle gémit de plaisir, et il manqua perdre le peu de maîtrise de soi qu'il avait encore.

Au prix d'un immense effort, il parvint à se ressaisir. Il ne devait pas se laisser aller. Pas tout de suite : il s'était promis d'offrir cette nuit à Abby, et il tiendrait sa promesse. Même s'il souffrait d'un besoin impérieux de se glisser en elle et, uni à elle, comme en fusion, de tout faire voler en éclats autour d'eux.

Les yeux brûlant d'une passion dévorante, Abby s'abandonnait peu à peu au rythme langoureux de son étreinte. Il savourait la vue de la jeune femme offerte, gémissant de plaisir. Aucune vision au monde ne pouvait surpasser leurs corps enlacés.

Aveuglé par la chaleur de la passion, plus rien ne comptait pour lui que ce besoin de la faire sienne. Incapable de se retenir, il la prit par les hanches pour la clouer à lui et l'entraîner vers les sommets du plaisir. Jamais, de toute sa vie, il ne s'était senti appartenir autant à une femme. A cet instant précis, il était à elle, corps et âme.

Elle cria son nom, et il sut qu'elle était sur le point d'atteindre l'extase. Son corps, secoué de frissons, s'enivrait des sensations exquises qui trouvaient un écho jusque dans son âme. Incapable de se retenir plus longtemps, Russ, d'un dernier coup de reins, se soumit à sa supplique muette et ils ne firent plus qu'un : un corps, un cœur, une âme.

9.

Les yeux perdus dans le vague, Russ se tenait debout devant la fenêtre de la cuisine. Lentement, l'obscurité se dissipait, laissant place aux couleurs gris perle de l'aube. Quelle nuit fabuleuse il venait de passer avec Abby ! Elle avait fait preuve d'une telle passion, d'un tel abandon, qu'à ce seul souvenir, le désir renaissait en lui, palpitant, vivant.

Pourtant, s'il mourait d'envie de la rejoindre dans son lit, il avait décidé d'adopter le comportement qu'il savait, au fond de son cœur, être le meilleur. La nuit dernière, il avait à dessein refoulé la pensée que c'était leur dernière nuit ensemble. Il avait refusé de se dire que plus jamais il ne l'entendrait murmurer son nom tandis qu'il la comblait de plaisir, que plus jamais il ne verrait le ravissement empourprer son beau visage lorsqu'elle sombrait dans l'extase entre ses bras.

Il sentit sa poitrine se contracter. A aucun moment de sa vie il n'avait ressenti une telle plénitude, une telle perfection, le sentiment d'avoir trouvé sa propre moitié.

Hélas, ils devaient se séparer. Cette relation vouée à l'échec allait leur briser le cœur à tous les deux. Il n'était pas assez bien pour elle, il le savait. Comment pourrait-il jamais supporter de voir la déception se peindre sur son visage d'ange le jour où elle s'en rendrait compte par elle-même ? C'était la raison pour laquelle il devait tout arrêter maintenant, avant que les choses s'aggravent pour l'un et pour l'autre, leur laissant une blessure qui jamais ne cicatriserait.

Les yeux maintenant fixés sur le lac qui s'étendait derrière le cottage, il décela sa présence une fraction de seconde avant qu'elle lui enlace la taille. En sentant son corps souple contre le sien, une flèche de désir le traversa de part en part et il lui fallut fermer les yeux pour se retenir de la prendre dans ses bras et de la ramener au lit.

— Quand je me suis réveillée, tu avais disparu. Je me suis demandé où tu étais.

Seigneur ! Son souffle chaud à travers sa chemise ! C'était comme si elle l'avait marqué de son empreinte indélébile. Allons, il avait assez perdu de temps. Il fallait agir au mieux, pour elle comme pour lui. Conjuguant toutes ses forces, il lui dit :

— Abby, nous devons parler.

Elle le serra encore plus près d'elle.

— Cela m'a l'air bien sérieux.

Il lui prit les mains, retira ses bras de sa taille, se retourna pour lui faire face et... l'air se vida de ses poumons. Elle portait, pour tout vêtement, la chemise de son smoking. Jamais il ne l'avait vue aussi belle.

— Russ ?

— J'ai bien réfléchi et...

Il s'éclaircit un instant la voix, puis, avant d'avoir eu le temps de changer d'avis, s'empressa de parler en l'agrippant de ses deux bras, comme si sa vie en dépendait.

— Je ne pense pas que nous devrions nous revoir, Abby.

Elle tressaillit. Son regard exprima soudain une peine si intense qu'il eut l'impression qu'on lui arrachait le cœur. Pourtant, pas un instant elle ne baissa les yeux.

— Et qu'est-ce qui te fait croire ça ? demanda-t-elle d'une voix altérée.

— C'est difficile à dire, c'est compliqué, répondit-il avec tristesse.

— Pourrais-tu avoir la bonté de t'expliquer ? demanda-t-elle d'une voix un peu tremblante.

Russ se sentit déchiré par le chagrin. Il aurait dû se douter qu'il ne s'en tirerait pas à si bon compte : elle voulait comprendre.

— Tu n'as vraiment pas saisi depuis le temps ?

— Si c'était le cas, je ne te demanderais rien, dit-elle en croisant frileusement les bras sur sa poitrine.

D'une main tremblante, il se frotta la nuque. Il sentait la tension monter. Combien il détestait attirer l'attention sur ses lacunes. Hélas, si c'était la seule façon de lui faire entendre raison, il n'avait pas le choix.

— Réfléchis, Abby. Je n'ai rien à offrir, pas plus à toi qu'à une autre femme. Je ne suis même pas propriétaire de ma maison, conclut-il en hochant la tête.

— Parce que tu crois que cela compte pour moi ? demanda-t-elle d'un ton incrédule. Tu sembles avoir une bien piètre opinion de moi.

Il se sentit pris au piège. Il allait donc être obligé de lui mettre les points sur les i.

— Mais non, bon sang ! Tu ne comprends donc pas ? C'est moi qui ne me sens pas assez bien pour toi ! Tu es docteur vétérinaire, pour l'amour du ciel. Que diable peux-tu trouver à un homme comme moi ?

— Je vois un homme attentionné, plein de bonté, un homme qui a pour habitude de faire passer les autres avant lui, répondit-elle d'une voix douce. Un homme qui aime la nature et qui adore son métier.

Russ s'impatienta. Ils étaient en train de tourner en rond. Lui savait qu'il ne la méritait pas. Plus il mettrait de temps à la convaincre, plus le risque de voir sa détermination faiblir était grand. Il se haïssait d'avance pour les paroles qu'il allait prononcer : c'était un énorme mensonge et il aurait préféré s'arracher le cœur plutôt que d'avoir à lui dire ces mots qui, il le savait, allaient la briser. Pourtant, avait-il vraiment le choix ?

— A vrai dire, je pensais que tu avais compris depuis le début que mon but était juste de te distraire pendant ton séjour aux *Vignes*. Je ne m'étais pas rendu compte que les choses étaient en train de devenir sérieuses entre nous.

Il inspira profondément et, la gorge serrée, se força à mentir :

— Nous avons pris du bon temps ensemble, mais le moment est venu de nous dire adieu.

Elle se recroquevilla comme s'il venait de la frapper et une expression horrifiée se peignit sur son visage. Il sentit le nœud qui lui tordait l'estomac se contracter douloureusement. Pourtant, elle redressa les épaules et déclara, le menton levé en signe de défi, d'une voix égale, dénuée de toute émotion :

— Je suis désolée de ne pas avoir compris la situation. Mais ne t'inquiète pas, dès que je me serai habillée, je débarrasserai le plancher.

Sans ajouter un mot, elle tourna les talons et, sous le regard de Russ, se dirigea vers la chambre avec dignité. Elle devait avoir aussi mal que lui, il le savait. Pourtant, il n'était pas question de craquer devant lui. Ce n'était pas le style d'Abby. Elle était trop courageuse, avait trop de classe pour ça.

Il se sentit encore plus méprisable : le plus beau salaud que la terre ait jamais porté. Lorsqu'elle regagna la salle de séjour, il proposa :

— Je vais te raccompagner chez toi en voiture.

— Inutile, répondit-elle en hochant la tête. Je connais le chemin.

— Oui, mais...

— Tout ira bien, Russ. Puisque, comme tu l'as dit toi-même, tout est fini entre nous, tu ne me conduiras plus nulle part.

Lorsqu'il la vit poser la main sur la poignée de la porte d'entrée, il ne put s'empêcher de serrer les poings. Que n'aurait-il donné pour la prendre dans ses bras !

— Adieu, Abby.

Sans répondre, elle sortit. Son mutisme ne le surprit pas. Le « clic » discret de la porte qui se refermait derrière elle résonna comme un coup de canon dans le silence effrayant de la pièce.

Et pour la première fois depuis l'accident qui avait coûté la vie à ses parents, onze ans auparavant, Russ se sentit submergé par une vague de désespoir d'une violence inouïe.

— Toi ici ? Quelle surprise ! s'exclama une voix familière.

Interdit, Russ leva les yeux et son visage s'éclaira d'un lent sourire : Mason Sheppard, le benjamin de Caroline, s'avançait le long de l'allée, accompagné de son père, Lucas.

— N'oublie pas que nous sommes en hiver et qu'en hiver je n'ai pas grand-chose à faire dans le vignoble, rétorqua-t-il. Alors, la France, raconte ! C'était comment ?

Les deux amis, qui ne s'étaient pas vus depuis des mois, se donnèrent une accolade toute fraternelle.

Mason répondit avec un sourire espiègle :

— Le vin n'est pas aussi bon que celui que nous produisons au Domaine de Louret, mais la nourriture est excellente. Quant aux femmes, comment te dire ? Ce sont des Françaises...

— Et tu as goûté aux trois ? s'enquit Russ avec un petit rire.

— Oh, que oui ! s'esclaffa Mason. N'en aurais-tu pas fait autant, à ma place ?

— Sans doute, répondit Russ, l'air évasif.

A vrai dire, la perspective d'avoir une aventure avec une autre femme qu'Abby lui paraissait totalement impossible.

— Oh là là ! Attends une minute, là, mon vieux. Que t'est-il arrivé pendant mon absence ? demanda Mason, le regard pétillant de malice. Tu as rencontré une femme ? Ton cœur n'est plus à prendre ?

— Bien sûr que si !

— Que se passe-t-il, Russ ? demanda Mason d'un air soudain inquiet.

— Rien.

Russ aurait pourtant dû se douter que son air préoccupé n'échapperait pas à son meilleur ami. Se forçant à sourire, il ajouta :

— Ici, c'est plus ou moins la même routine. Pendant la semaine, je travaille au vignoble et, le week-end, je monte des taureaux. Je m'apprête d'ailleurs à partir pour Pine Creek où je dois participer à un rodéo cet après-midi.

Mason hocha la tête d'un air dubitatif :

— On ne me la fait pas à moi ! Je vois bien que quelque chose te préoccupe, et ce n'est pas ton histoire de routine qui va donner le change. Allez, ajouta-t-il en posant une main sur l'épaule de Russ, sers-nous donc une bonne bière, et dis-moi ce qui ne va pas.

Russ sentit une vague inquiétude le gagner. Il connaissait son ami : il ne le lâcherait pas tant qu'il ne lui aurait pas dit la vérité.

A pas lents, il se dirigea vers la pièce du fond et attrapa deux cannettes dans le Frigidaire. Après en avoir tendu une à Mason, il ouvrit la sienne et prit place à côté de lui sur un banc de bois.

— Il n'y a pas grand-chose à raconter. J'ai rencontré une femme, nous avons partagé quelques bons moments, et maintenant c'est terminé. Voilà tout.

Mason but une gorgée de bière.

— Je ne te crois pas, répliqua-t-il, secouant sa tête blonde. Je sais que tout cela ne me regarde en rien, mais tu as l'air tellement malheureux que je doute fort que ce soit tout.

— De toute façon, dans quelques jours, cela n'aura plus d'importance, dit-il avec un haussement d'épaules. La jeune femme en question va bientôt quitter Napa.

Sur ces mots, à son tour, il porta la cannette à sa bouche. Mason le regarda et, comme frappé d'une intuition soudaine, s'exclama :

— Mais j'y suis ! Il s'agit d'Abigail Ashton, non ? Comment n'ai-je pas compris plus vite ?

Devant le mutisme de son ami, Mason hocha la tête.

— J'aurais dû m'en douter. Tu as toujours eu un faible pour les rousses. Et puis, c'est une vraie bombe ! Ce qui ne gâche rien.

— Tu l'as rencontrée ?

— Oui. Avant de te rejoindre à l'écurie, j'ai fait un détour par le bâtiment d'exploitation vinicole. Elle était dans le bureau et Mercedes a fait les présentations.

Russ laissa échapper un soupir de frustration. Mason n'allait plus le lâcher avant d'avoir entendu toute l'histoire. Bon, autant tout lui dire. Après tout, il n'avait plus rien à perdre. Il lui décrivit donc la femme exceptionnelle qu'était Abby et lui raconta ce qui s'était passé entre eux.

— Mais hier, j'ai rompu, conclut-il.

— Pourquoi as-tu fait ça ? demanda Mason, interloqué.

— Parce qu'elle mérite plus que ce que je peux lui offrir, répondit Russ sans mentir.

En entendant sa réponse, Mason se mit à jurer.

— Tu es fou ou quoi ? Qu'est-ce qui a bien pu te passer par la tête, Russ ? Ne crois-tu pas que tu aurais pu la laisser décider seule ?

— L'un de nous deux devait faire preuve de bon sens, répondit Russ en finissant sa bière. Soyons réalistes ! Une femme comme Abby ne peut pas être heureuse toute sa vie avec un homme comme moi. C'est évident.

— Ce qui est évident, c'est que tu as complètement perdu la boule, constata Mason d'un ton péremptoire.

Russ écrasa sa cannette dans sa main et la lança dans la poubelle.

— Ah oui ? Puisque tu es si malin, cite-moi une seule femme ayant fait des études supérieures qui a trouvé le bonheur avec un ouvrier qui n'a rien pour lui, hormis le fait de savoir faire pousser quelques pieds de vignes.

— Ma mère, répondit Mason d'un air satisfait. Cela fait vingt-sept ans que son histoire d'amour dure avec mon père. Pour moi, c'est vraiment un bel exemple de bonheur. Un bonheur qu'elle a bien mérité, d'ailleurs, surtout après l'échec de son premier mariage avec Spencer Ashton.

Mason se leva, se débarrassa à son tour de sa cannette et reprit :

— Pendant ton trajet pour Pine Creek, réfléchis bien à ce que je viens de te dire. Et tu verras, à mon retour, tu me diras que j'ai raison.

— T'a-t-on jamais dit que tu étais plus malin que tout le monde, Mason Sheppard ? maugréa Russ.

Ce dernier se mit à rire.

— Oui. Et je compte sur toi pour me le répéter chaque fois que tu sauras que j'ai raison.

Abby plia la robe de soie turquoise qu'elle portait le soir du dîner chez les Ashton et la mit dans son sac de voyage. Réprimant une soudaine envie de pleurer, elle se retourna pour attraper les autres vêtements. Si elle était heureuse d'avoir fait connaissance avec sa famille californienne, il était temps pour elle de regagner le Nebraska.

En proie à un profond sentiment d'abattement, elle s'assit sur le bord du lit, les yeux fixés sur la brochure du rodéo de Wild Horse Flats auquel elle s'était rendue avec Russ. Pourquoi diable l'avait-elle gardée ? Elle n'en avait aucune idée. Elle n'était pourtant pas de nature à accorder de l'importance à ce genre de choses. Or, alors qu'elle regardait le papier aux couleurs vives qui vantait les différents événements, une nouvelle vague d'émotion la submergea.

Qu'est-ce qui avait bien pu passer dans la tête de Russ ? se demanda-t-elle pour la énième fois.

La veille, alors qu'il lui racontait ses salades, pas une seconde elle n'avait marché. Alors comme ça, ils avaient pris du bon temps ensemble et c'était tout ? Eh bien, elle n'en croyait pas un mot ! Cet homme était bien trop attentionné, bien trop tendre pour prendre ce qu'ils avaient partagé à la légère. Ne lui avait-il pas dit, avant même qu'ils aient fait l'amour, qu'il préférerait renoncer à leur relation plutôt que de la faire souffrir ?

Le cœur battant à se rompre, elle prit une longue inspiration pour s'efforcer de se calmer. Alors, à l'entendre, il n'avait rien à offrir à une femme ? Tout ça parce qu'il n'était même pas propriétaire de sa maison ? Quant à leur différence de niveau d'études, effectivement, quel problème ! songea-t-elle avec amertume. Elle avait été tellement abasourdie, meurtrie, qu'elle n'avait pas su voir l'autre vérité derrière ces paroles.

Absorbée par ses pensées, elle se mordilla la lèvre : que faire ? Depuis des années, elle avait peur de devenir comme sa mère, Grace, une femme impossible à satisfaire. N'avait-elle pas toujours considéré qu'elle méritait beaucoup mieux que le style de vie qu'un homme de la terre pouvait lui offrir ? Eh bien, ce n'était pas le cas de sa fille qui elle, en revanche, nourrissait ce rêve depuis toujours.

Il ne lui restait donc plus qu'à convaincre Russ. Mais comment diable allait-elle s'y prendre ?

Un coup discret se fit entendre à sa porte. Elle allait devoir attendre pour passer ses options en revue et décider de son plan d'action. Levant les yeux, elle se trouva nez à nez avec Mercedes.

— Tout va bien ? s'enquit cette dernière.

Abby inspira profondément et hocha la tête.

— Oui, mais je n'en dirais pas autant d'une certaine tête de mule de vigneron qui va avoir affaire à moi.

Avec un froncement de sourcils, Mercedes s'approcha du lit et prit place à son côté.

— Ai-je raté un épisode ? Je croyais que Russ et toi vous étiez séparés et que tu rentrais au Nebraska.

— J'ai changé d'avis, expliqua Abby qui, pour la première fois depuis qu'elle avait quitté le cottage de Russ, laissa échapper un sourire. Je ne vais nulle part jusqu'à ce qu'il ait entendu ce que j'ai à dire. Il est peut-être prêt à renoncer à nous deux, mais pas moi.

— Oh, j'aime vraiment beaucoup ce que je viens d'entendre ! approuva Mercedes d'un air réjoui.

Abby fut heureuse de la réaction de Mercedes, et se sentit encouragée dans son projet.

— Et maintenant, ajouta-t-elle d'un air de conquête, il ne me reste plus qu'à retrouver le nom de l'endroit où il participe à un rodéo ce week-end.

— Rien de plus simple, s'exclama Mercedes en attrapant le téléphone. Quand veux-tu partir ?

— Dès que possible !

Elle avait attendu vingt-quatre ans avant de trouver l'homme de ses rêves.

Il était hors de question de perdre une minute de plus.

Russ se tenait dans la file des concurrents venus régler leurs frais de participation et retirer le maillot affichant le numéro sous lequel ils allaient concourir. Il sentit soudain qu'on lui tapait sur l'épaule : c'était J.B.

— Est-ce qu'Abby est dans les tribunes avec Nina ? s'enquit ce dernier.

— Non. Elle n'est pas venue avec moi ce week-end.

Le sentiment de regret qui s'empara de lui était si violent qu'il faillit se plier en deux de douleur.

— C'est dommage, répondit son copain d'un air déçu. Nina se faisait une vraie fête de la revoir et de parler avec elle.

Russ inspira profondément et annonça :

— Tu peux dire à Nina que ce n'est plus la peine qu'elle compte sur sa présence.

— Mais je croyais que vous deux étiez…

— Eh bien, tu t'es trompé, coupa Russ.

Le cow-boy qui le précédait se retira. Russ paya son dû à l'officiel assis derrière la table qui lui remit son numéro. Puis, penaud, il se retourna alors vers J.B. Pourquoi diable s'était-il montré si sec avec lui ?

— Ecoute, je suis désolé, mais, en ce moment, Abby est un sujet sensible.

— Elle t'a largué ? demanda J.B. d'un air plein de compassion.

Russ secoua la tête et, prenant son courage à deux mains, avoua :

— J'ai mis un terme à cette histoire. Nous allions droit dans le mur.

— As-tu perdu la tête ? s'exclama J.B. Cette fille était dingue de toi, cela se voyait comme le nez au milieu de la figure.

— Merci, J.B. Tes paroles me sont d'un grand réconfort, répondit Russ sans pouvoir dissimuler le sarcasme dans sa voix.

— Y a-t-il la moindre chance de réconciliation entre vous ? demanda son collègue en lui posant une main réconfortante sur l'épaule.

Russ fit un signe de tête négatif.

— J'en doute fort.

Puis, sans attendre J.B., il ramassa son sac et, lentement, se dirigea vers les vestiaires où les cow-boys rangeaient leurs équipements et se préparaient pour les compétitions. Il aurait dû être en train de se concentrer sur ce qu'il savait du taureau qu'il avait tiré au sort, échauffer ses muscles et se préparer mentalement à l'épreuve. Pourtant, son esprit était loin, bien loin du rodéo, aujourd'hui.

Que faisait Abby à cet instant précis ? Ses valises pour quitter *Les Vignes* ? Ou avait-elle déjà pris son avion pour le Nebraska ?

Tout en enfilant ses *chaps*, les sur-culottes de cuir destinées à protéger les jambes des cow-boys, il tournait et retournait les paroles de Mason dans sa tête : une femme qui avait fait des études pouvait-elle vivre un bonheur durable avec un homme aussi simple que lui ? Il était vrai que Caroline et Lucas Sheppard avaient réussi leur vie ensemble. Tous ceux qui les connaissaient pouvaient témoigner de leur amour l'un pour l'autre et de leur bonheur.

Il sentit une lueur d'espoir s'allumer au plus profond de lui-même. Y avait-il une petite chance pour qu'Abby et lui puissent vivre une telle histoire ? Franchement, il n'en savait rien.

Il attacha la dernière courroie de ses *chaps* et se laissa tomber sur l'un des bancs du vestiaire. Impossible de chasser Abby de ses pensées. Elle comptait tellement pour lui ! C'était peut-être la première fois qu'il était amoureux pour de bon, mais il savait sans l'ombre d'un doute que ce qui s'était passé entre eux était exceptionnel.

Peut-être avait-il tout gâché ? songea-t-il, l'estomac soudain vrillé par l'angoisse. Après tout, ne lui avait-elle pas dit qu'elle se fichait bien qu'il n'ait pas suivi un cursus universitaire et qu'il n'ait rien de matériel à lui offrir ? Tout ce qui comptait pour elle, c'était l'homme qu'il était. Et lui qui n'avait rien écouté ! Mais aurait-elle vraiment pu être heureuse avec lui pour le reste de ses jours ?

Désemparé, il ne savait que penser. Avait-il fait la plus grosse bêtise de sa vie en rompant avec elle ?

— Hé, Gannon, tu vas rester là à bayer aux corneilles toute la journée, ou tu vas monter le taureau que tu as tiré au sort ? appela l'un des autres concurrents qui se tenait sur le seuil de la porte. C'est toi le suivant.

Il se leva, prit la direction des pistes de rodéo et monta les marches qui menaient à l'arène. Lorsqu'il aperçut la bête que le sort lui avait allouée, il serra les dents.

Le taureau qu'il avait en face de lui était une bête magnifique, mais il était issu d'une des races les plus redoutables, et pouvait donner du fil à retordre au plus concentré des cavaliers. Il était doté d'une méchante paire de cornes qu'il utilisait pour déchiqueter le cow-boy qu'il réussissait à désarçonner. Lorsqu'un homme montait un tel taureau, il avait besoin de toute sa concentration pour un parcours réussi.

Or, aujourd'hui, Russ, bien trop occupé par la pensée de la seule femme qu'il ait jamais aimée, était loin de posséder toutes ses facultés de concentration.

Pourtant, il n'était pas du genre à se défiler. Résolu, il enjamba la paroi de séparation et enfourcha le taureau. J.B. l'aida à passer la tresse de chanvre autour de la poitrine de l'animal et lui tendit l'autre extrémité. Russ l'enroula autour de sa main.

— Tu es bien sûr de vouloir concourir ? demanda J.B. d'un air dubitatif.

— Evidemment ! répliqua Russ en enfonçant son chapeau sur sa tête de façon à ne pas le perdre pendant l'épreuve. De toute façon, au cas où tu ne l'aurais pas remarqué, il est un peu tard pour changer d'avis.

— Alors, cow-boy, bonne chance avec cette sale bête ! s'écria J.B., le visage fendu d'un large sourire.

Son ami essayait de le motiver pour éviter la chute, c'était incontestable. Mais s'il appréciait son soutien, Russ s'aperçut qu'il allait falloir plus que les encouragements de J.B. pour sortir indemne de cette épreuve.

Se redressant, il ajusta son corset et, d'un signe de la tête, indiqua au préposé à la barrière qu'il était prêt.

Le taureau, déchaîné, bondit dans l'arène comme si on lui avait mis un pétard sous la queue. A la première ruade, Russ, qui se tenait bien à l'avant, agrippé à la tresse de chanvre, reprit son assiette. Mais lorsque l'animal commença à se tortiller de façon étonnante pour ses huit cents kilos, le cow-boy comprit qu'il n'était pas prêt, mentalement, pour ce combat. D'abord bringuebalé de droite à gauche, il réussit tant bien que mal à préserver son équilibre, mais une nouvelle ruade d'une violence inouïe éjecta Russ loin du taureau et l'envoya mordre la poussière de l'arène. Heureusement, les deux cavaliers chargés de veiller au bon déroulement des opérations pendant l'épreuve arrivaient au galop. Si son honneur en avait pris un coup, au moins, il s'en tirait sain et sauf.

Se relevant d'un bond, il se précipita vers la barrière afin de se mettre à l'abri. C'est alors qu'il se sentit percuté dans le dos avec une violence inouïe. Il eut l'impression qu'une masse incroyable venait de le transpercer, et que tout l'air s'enfuyait de ses poumons sans qu'il puisse le retenir. Il tomba en avant, sa tempe heurtant durement le sol.

Une douce torpeur le gagna et sa dernière pensée fut pour la femme qu'il aimait. « Abby », murmura-t-il, avant de perdre connaissance.

10.

Abby et Nina descendirent quatre à quatre les marches des tribunes pour gagner la salle d'entraînement, située à l'arrière de l'arène. Abby tremblait de tous ses membres, son cœur cognait dans sa poitrine. Elle avait assisté, horrifiée, au spectacle : cet abominable monstre en train de piétiner Russ, en dépit des cavaliers arrivés en renfort. Lorsqu'elle avait vu les sabots de l'animal frôler sa tête et l'assommer, elle avait cru mourir d'angoisse. Jamais de sa vie elle n'avait connu une telle frayeur.

— Désolé, mesdames, mais il vous faut regagner vos places, leur annonça un garde qui les intercepta dans le hall. Seul le personnel médical est autorisé à entrer dans la salle d'entraînement.

Abby réfléchit un instant puis, avec un signe de tête décidé, annonça :

— Je suis le Dr Abby Ashton, je suis le médecin de M. Gannon.

Techniquement, elle avait un diplôme médical. Personne ici n'avait besoin de savoir qu'elle n'était pas censée traiter les humains. Il n'était pas question qu'elle précise au garde qu'elle était vétérinaire. Une seule chose comptait, rejoindre Russ.

L'homme semblait indécis :

— Avez-vous une pièce d'identité ?

— Bien sûr, que croyez-vous ? Les médecins ne se promènent-ils pas tous avec leur diplômes en poche ? répliqua Abby, sarcastique.

Elle tira néanmoins son portefeuille de son sac et lui montra son permis de conduire et sa carte de crédit au nom du Dr Abigail Ashton. Heureusement, sa spécialité médicale n'était pas spécifiée.

— Et maintenant, laissez-moi passer ou je vous jure que dès lundi vous pourrez aller vous inscrire à l'ANPE.

— Bien, madame, répondit-il en s'écartant.

Alors qu'elles se ruaient le long du couloir, Nina la dévisagea, les yeux écarquillés.

— Je ne savais pas que tu étais médecin.

— Je ne suis pas médecin, répondit Abby avec un haussement d'épaules. Je suis vétérinaire !

Le visage de Nina s'éclaira d'un large sourire.

— Je vois ! En tout cas, ça a marché. Tu vas pouvoir te rendre au chevet de Russ.

— Il en aurait fallu beaucoup plus qu'un agent de sécurité pour m'empêcher de le rejoindre, répondit Abby en toute sincérité.

J.B. attendait devant la dernière porte au bout du couloir.

— Comment va-t-il ? demanda-t-elle.

— Il est complètement dans les choux. Mais ne t'inquiète pas, s'empressa d'ajouter le cow-boy. D'après le docteur, il devrait revenir à lui d'une minute à l'autre.

— Souffre-t-il de blessures internes ?

J.B. secoua la tête et passa le bras autour des épaules de Nina.

— Il portait son corset. C'est ce qui l'a protégé des cornes du taureau.

Abby poussa un soupir de soulagement :

— Merci pour les nouvelles.

Elle entra alors dans la salle où l'on avait installé le brancard sur lequel reposait Russ. Un homme vêtu de l'uniforme du personnel médical l'accueillit d'un sourire.

— Vous accompagnez Gannon ? l'interrogea-t-il.

Elle hocha la tête en signe d'assentiment.

— A-t-il repris conscience ? s'enquit-elle.

— Ça va, ça vient, répondit l'infirmier en lui avançant une chaise. Cela peut durer encore un moment, expliqua-t-il devant son regard interrogateur.

Debout devant l'être qu'elle aimait le plus au monde, Abby sentit sa poitrine se contracter. Hormis le bleu sur sa joue droite et une bosse de la taille d'un œuf à la tempe, Russ n'avait pas l'air trop mal en point.

Elle lui prit la main et sentit ses doigts bouger légèrement.

— Russ, mon chéri, réveille-toi, chuchota-t-elle.

Il murmura son nom et sa main se resserra autour de la sienne. Quelques secondes plus tard, il ouvrait les yeux et la fixait comme si elle était la plus merveilleuse des apparitions.

— A-Abby ?

Elle repoussa les mèches blondes qui lui barraient le front.

— Je suis là, Russ.

— Ce n'est pas possible, répondit-il d'une voix empreinte d'une profonde lassitude. Tu es en route pour le Nebraska.

Il referma les yeux et les muscles de son menton se contractèrent comme s'il souffrait.

Elle posa les mains sur ses sourcils et, se penchant en avant, effleura ses lèvres d'un baiser léger.

— Non, mon chéri. Je suis ici avec toi. Là où je me sens chez moi.

Il releva aussitôt les paupières. Elle s'aperçut, à son grand soulagement, qu'il avait récupéré toutes ses facultés.

— Ce n'est pas une hallucination ? demanda-t-il.

Elle se retourna vers l'infirmier :

— Pourriez-vous nous laisser un moment, s'il vous plait ?

L'homme acquiesça et, sans un mot, quitta la pièce.

— Non, Russ, ce n'est pas une hallucination.

— Mais je...

— Si tu crois pouvoir te débarrasser de moi aussi facilement, tu te trompes ! Tu es peut-être prêt à renoncer à nous deux, mais pas moi, conclut-elle en relâchant sa main et en s'asseyant sur la chaise.

— Pas toi ?

Devant le soulagement qu'elle lisait sur son beau visage, elle reprit, enhardie :

— Certainement pas ! Je t'ai laissé parler hier matin, mais maintenant c'est toi qui vas écouter ce que j'ai à dire.

— Ah oui ? répondit-il avec un petit sourire en coin.

Etait-il trop choqué pour l'écouter ? Tant pis ! Après avoir pris une profonde inspiration, elle plongea les yeux dans son regard amusé.

— Il n'est pas question que je renonce à toi sans me battre.

Il laissa son index courir le long de sa joue.

— Très bien.

Sa caresse la déconcentra. Mais non, elle n'en avait pas fini avec lui.

— J'ai conduit deux heures pour venir te dire quelque chose qui me tient à cœur. Mais avant, j'ai une question.

— Oui ?

En entendant sa voix grave, elle sentit une vague de désir l'envahir. Refoulant cette sensation, elle reprit :

— Où diable es-tu allé pêcher l'idée que tu n'étais pas assez bien pour moi ?

Il fronça les sourcils et frotta sa tempe douloureuse.

— Je n'ai aucun diplôme…

— Nous savons tous les deux que c'est une raison complètement idiote. Chacun a son rôle dans la vie, reprit-elle avec un sourire devant son expression ébahie. Ainsi, tu possèdes un don que j'ai toujours rêvé d'avoir et que je n'ai jamais eu. Tu peux faire pousser n'importe quoi, où tu le souhaites.

Il leva une épaule :

— Tout le monde le peut.

Elle secoua la tête :

— Faux ! Est-ce que tu veux savoir pourquoi j'ai fait des études de vétérinaire plutôt que d'agriculture ?

— Parce que tu aimes les animaux ?

— C'est la raison principale, approuva-t-elle d'un geste de la tête. C'est aussi parce que je fais mourir tout ce que j'essaye de faire pousser. Je n'arrive même pas à garder une plante d'intérieur ! Chaque fois que j'en rapporte une à la maison, j'ai droit aux remarques ironiques de Ford et de l'oncle Grant : encore une pauvre plante innocente vouée à une fin prématurée.

— Tu y mets sans doute trop de zèle, remarqua-t-il avec un petit rire.

— Je ne pense pas, dit-elle en prenant ses deux mains dans les siennes. Ne vois-tu pas, Russ, que tout ton talent est là, dans tes mains devenues calleuses à force de cultiver la terre ? Tu n'as peut-être pas un diplôme universitaire, mais cela ne t'empêche pas d'être un expert dans ton domaine, d'être reconnu et estimé.

Ses paroles le laissèrent un moment pensif : il réfléchissait.

— Je n'ai jamais envisagé les choses sous cet angle, finit-il par dire. Mais tu as peut-être raison.

— Eh bien, il est temps que tu arrives à cette conclusion !

Voyant qu'il faisait mine de bouger, elle se leva de sa chaise et le repoussa sur le brancard.

— Je n'ai pas encore fini.

Il sourit.

— T'a-t-on déjà dit que tu étais du genre dictateur en jupon ?

— Personne, à part toi, si je me souviens bien.

Elle se mit à rire. Les paroles qu'ils avaient échangées le premier jour à l'écurie lui revinrent à la mémoire.

— Et toi, t'a-t-on déjà dit que tu n'étais pas du genre rapide ?

Il s'esclaffa et tendit les bras pour l'attirer vers lui.

— Viens là, chérie.

Abby secoua la tête.

— Pas avant d'avoir fini et de t'avoir dit tout ce que j'avais à te dire.

D'un doigt sur ses lèvres, elle mit un terme à ses protestations.

— Je t'aime de toute mon âme, Russ Gannon.

— Tu m'aimes ? répondit-il avec un sourire qui la fit tressaillir au plus profond d'elle-même.

— Oui. Mais je dois te faire un aveu.

— Tu crois? répondit-il d'un air un peu las.

— Sais-tu pourquoi je suis restée vierge alors que la plupart des filles de mon âge ont une vie sexuelle depuis des années ?

— Par peur de devenir comme ta mère ? avança-t-il.

— En partie, admit-elle. Mais ce n'est pas la seule raison.

Il hocha la tête avec un sourire compréhensif.

— Tu avais peur que la plupart des hommes se comportent comme ce brave Harold et se montrent insistants lorsque tu repousserais leurs avances ?

— Même pas !

Son expression étonnée lui arracha un sourire et, la main posée sur sa joue maigre, elle déclara :

— Russ, la première fois, je voulais me donner à l'homme avec lequel je déciderais de passer le reste de ma vie. Et que cela te plaise ou non, tu es cet homme.

Son visage se fendit d'un large sourire.

— Est-ce une demande en mariage ?

— Appelle cela comme tu voudras. Mais c'est la vérité. Tu es celui que toute ma vie je désirerai, dont toute ma vie j'aurai besoin, murmura-t-elle.

— Mon amour ! Abby, je t'aime plus que ma propre vie, dit-il en s'asseyant pour lui relever le menton. Si tu veux de moi, je passerai le reste de mes jours à te le prouver.

— Je te prends au mot ! répliqua-t-elle en l'embrassant à perdre haleine.

Elle sourit et ajouta alors :

— Oh ! Il y a une chose que je devrais sans doute te dire.

— Quoi donc, ma chérie ?

— Une fois que nous serons mariés, le fait que tu ne sois pas propriétaire ne sera plus un problème.

Devant son regard interrogateur, elle enchaîna :

— Je possède un tiers de cette grande ferme que nous avons au Nebraska. Une fois que je serai Mme Russ Gannon, ce qui est à moi sera aussi à toi.

— Je n'en veux pas, répondit-il en secouant la tête. Tout ce que je veux, c'est toi. Nous allons déménager au Nebraska, je t'aiderai à exploiter tes terres, mais nous allons nous marier sous le régime de la séparation des biens...

— Pas question, répondit-elle en l'embrassant de nouveau. Nous serons dans ce mariage ensemble et pour toujours. Ce qui m'appartient t'appartiendra. Est-ce bien clair, cow-boy ?

— Limpide, répondit-il en souriant.

Son visage reprit son sérieux.

— Je t'aime, Abby.

— Je t'aime, Russ. Pour toujours. De tout mon être, et de toute mon âme.

Une semaine plus tard, Abby était en train de jeter un dernier coup d'œil à sa liste. Le gâteau et les fleurs seraient livrés le lendemain matin. Russ et elle avaient leur licence de mariage et les alliances. Pourtant, elle avait l'impression d'avoir oublié quelque chose.

— Seigneur ! Ford ! Il attend à l'aéroport.

Elle attrapa les clés de la voiture de location et se rua dans l'escalier. Comment avait-elle pu oublier son frère ?

— Où cours-tu comme ça, sœurette ? demanda une voix familière tandis qu'elle se précipitait vers la porte.

Elle fit volte-face et se trouva nez à nez avec Ford et l'oncle Grant, assis à la table de la cuisine, l'air goguenard.

— Comment es-tu arrivé ? Ou plutôt, quand ? Oh ! Et puis ça m'est bien égal, reprit-elle en hochant la tête. Je suis juste contente que tu sois là.

— Oncle Grant est venu me chercher. Je suis ici depuis une heure environ. Et moi aussi je suis content de te voir, répondit Ford en se levant pour l'embrasser. Comment va la mariée ?

— Terrorisée à l'idée d'avoir oublié quelque chose.

— Je ne saurais trop te conseiller de jeter un dernier coup d'œil à ta liste. Si tu as pu oublier une chose aussi importante que l'arrivée de ton frère à l'aéroport, Dieu sait ce que tu as bien pu oublier d'autre.

— Détends-toi, petit elfe, ajouta l'oncle Grant avec un sourire. Tout va bien se passer.

— As-tu pensé à passer prendre ton smoking ? répondit-elle.

Si elle se souvenait bien, il lui avait déjà dit l'avoir fait, mais, tout bien considéré, vérifier une seconde fois n'était sans doute pas une mauvaise idée.

Son oncle répondit dans un éclat de rire.

— Et je suis passé chez le coiffeur, comme tu me l'avais demandé.

Ford, un bras autour des épaules de sa sœur, lui dit :

— Abby ?

— Oui ?

— Respire.

— Je ne suis pas sûre d'en avoir le temps, répondit-elle avec un soupir.

L'oncle Grant lui sourit.

— Tout est organisé, petit elfe, annonça son oncle. Caroline et Mercedes s'occupent de la cérémonie et de la réception, et à part descendre l'allée centrale à mon bras demain, tu n'as pas grand-chose à faire.

Il se leva et posa sa tasse à café dans l'évier.

— Et si tu oubliais un peu tous ces préparatifs de mariage ? Va donc présenter Ford à son futur beau-frère.

Ford approuva de la tête :

— Oui, il y a une chose ou deux dont j'aimerais discuter avec ce garçon.

— Oh, arrête un peu ton numéro de grand frère protecteur, dit Abby avec un sourire. Tu vas adorer Russ.

— J'en doute, répondit Ford en hochant la tête un peu trop vigoureusement. Tu sais bien que je n'aime pas les hommes, alors tu penses, celui qui me prend ma sœur...

Trop heureuse d'avoir une excuse pour voir Russ avant la répétition du mariage qui devait avoir lieu dans la soirée, elle attrapa sa veste derrière la porte, prit Ford par la main et l'entraîna avec elle.

— Arrête un peu de faire le macho et viens avec moi. J'ai tellement hâte que tu rencontres Russ.

Tandis qu'ils se dirigeaient vers les écuries, Ford lui demanda :

— Et où en est l'oncle Grant ?

La question de son frère ne la surprit pas. Il était naturel qu'il veuille savoir ce qu'avait fait leur oncle à Napa Valley. Lorsqu'elle lui avait téléphoné au Nebraska pour lui annoncer son mariage, n'avait-il pas exprimé une certaine inquiétude ? Lui aussi voyait bien que, pour Grant, la rencontre avec son père était en train de tourner à l'obsession.

— Il a dit vouloir rester aussi longtemps qu'il n'aurait pas rencontré Spencer, répondit-elle.

— Sur le trajet de retour de l'aéroport, il m'a annoncé qu'il comptait dévoiler aux médias l'histoire du mariage illégal de Spencer avec Caroline, dit Ford. Il espère ainsi attirer l'attention de ce salaud.

— Je le comprends, répondit-elle. Puisque rien d'autre n'a marché...

Son cœur saignait pour l'oncle Grant. C'était un homme bien. Il méritait les réponses à ses questions. Il n'était pas facile d'accepter l'abandon d'un père.

— Oncle Grant ne voulait sans doute pas en arriver là, mais Spencer ne lui en a pas laissé le choix.

Ford hocha la tête :

— Une bonne chose au moins est sortie de cette pagaille.

— Quoi donc ? demanda-t-elle en entrant dans l'écurie.

— Nous te marions enfin !

Abby éclata de rire :

— Oui, mais je ne quitte pas la maison. Russ et moi allons vivre à la ferme.

— Quelqu'un a prononcé mon nom ? demanda l'intéressé en sortant de la pièce du fond.

S'avançant vers sa fiancée, il noua les bras autour de son cou et lui donna un baiser qui la grisa.

— Comment va ma femme préférée ?

— J'espère bien qu'il s'agit de votre seule femme ! répliqua Ford, d'un ton ferme.

Russ approuva de la tête.

176

— La seule et l'unique. A moins, bien sûr, que nous ayons une fille.

Ford plissa les yeux.

— Abby, serais-tu… ?

— Non !

Russ se doutait bien qu'à un moment ou un autre, avant le mariage, il finirait par rencontrer le frère d'Abby. Il avait déjà eu droit à un discours paternel de la part de son oncle. C'était au tour de Ford de s'entretenir avec lui.

— Chérie, Dieu sait que j'aimerais te garder dans mes bras toute la journée, mais je crois que Mercedes te cherchait tout à l'heure. Tu devrais aller jusqu'aux bureaux pour voir si elle n'a pas besoin d'aide. Pendant ce temps, je tiendrai compagnie à ton frère, conclut-il avec un regard entendu.

— Bonne idée, acquiesça Ford.

— Si vous croyez que je n'ai pas compris votre petit manège, dit-elle en levant les yeux au ciel. Ford va te donner les consignes fraternelles. Et tu vas lui dire qu'il n'a aucune raison de s'inquiéter. Tâchez cependant de vous rappeler que je ne veux ni œil au beurre noir, ni lèvre fendue sur mes photos de mariage, conclut-elle en les menaçant d'un doigt vengeur.

Silencieux, Ford et Russ la regardèrent sortir de l'écurie et remonter l'allée qui menait aux bureaux.

— Vous allez avoir du boulot, l'avertit alors Ford. Rien, ou presque, ne lui échappe.

Avec un sourire, Russ hocha la tête.

— Je ne la voudrais pas autrement.

Il fit alors signe à Ford de le suivre.

— Et si vous me faisiez le sermon fraternel autour d'une bonne bière ?

— J'ai l'impression que nous allons très bien nous entendre tous les deux, Gannon, répondit Ford avec un sourire.

Le lendemain après-midi, Abby se regardait dans le miroir en pied dans la chambre qui avait été celle de Mercedes à l'époque où elle habitait *Les Vignes*. La robe au décolleté arrondi qu'elles avaient choisie ensemble était vraiment sublime. Dans ce tourbillon de dentelle et de satin brodé de petites perles, elle avait l'impression d'être une princesse.

— Comme tu es belle, Abby ! s'écria Caroline en ajustant son voile.

— Russ est arrivé ?

— Oui, mon ange, répondit Caroline avec un sourire indulgent. En fait, je crois même qu'il avait une heure d'avance sur l'horaire que lui avait donné Mercedes.

Souriante, Abby se retourna vers la femme qui avait eu la bonté de leur prêter sa demeure pour y célébrer leur mariage. Et qui, malgré les délais serrés, avait même insisté pour tout organiser afin de permettre à Abby de rentrer au Nebraska et d'ouvrir sa clinique à temps pour la saison du vêlage.

— Merci, Caroline. Comment vous remercier de tout ce que vous avez fait pour nous ?

— Lucas et moi avons été très heureux de vous recevoir aux *Vignes*, répondit Caroline avec un sourire empreint de tendresse. Grant, Ford et toi faites désormais partie de la famille.

Les yeux d'Abby s'embuèrent et elle serra Caroline dans ses bras.

— Vous êtes la plus merveilleuse des femmes.

Caroline lui rendit son embrassade, puis recula d'un pas tout en se tamponnant les yeux de son mouchoir.

— Russ est comme un fils pour nous, et votre bonheur à tous les deux me ravit au-delà de tout ce que tu peux imaginer.

Un coup discret frappé à la porte attira leur attention : oncle Grant entra peu après dans la pièce. Avec sa haute taille et ses tempes légèrement grisonnantes, c'était vraiment un très bel homme. Et comme il était distingué dans son smoking noir !

— Mon Dieu ! Quelle vision de rêve tu fais, petit elfe !

— Tu n'es pas mal non plus, répondit-elle en allant se blottir au creux de ses bras grands ouverts.

— Je n'arrive pas à croire que tu sois déjà en âge de te marier, dit-il d'un ton bourru en lui caressant les cheveux. J'ai l'impression que c'était hier que je posais des Sparadrap sur tes genoux écorchés et que je t'aidais à faire tes devoirs.

— C'est l'heure, annonça Mercedes en entrant dans la pièce. Ford et Mason ont déjà menacé de ligoter Russ s'il n'arrête pas de faire les cent pas, conclut-elle en riant.

— Je te verrai en bas, ma chérie, déclara Caroline en déposant un baiser léger sur sa joue.

Refoulant des larmes de joie, Mercedes tendit à Abby un bouquet de roses et de minuscules fleurs blanches, puis, après l'avoir serrée dans ses bras, emboîta le pas à sa mère.

— Es-tu prêt à me donner en mariage ? demanda Abby alors que son oncle et elle se tenaient en haut des marches.

— Je vais t'escorter jusqu'en bas et je placerai ta main dans celle de Russ.

Il lui offrit son bras.

— Mais je ne te « donne » à personne, reprit-il avec un signe de tête négatif. Tu seras toujours mon petit elfe. Je veux que tu t'en souviennes, Abby.

Les larmes aux yeux, elle répondit :

— Je t'aime, oncle Grant. Merci de t'être occupé de Ford et de moi toutes ces années.

— Si c'était à refaire, je recommencerais, répondit-il en mettant la main sur celle gantée de blanc qui reposait au creux de son bras.

Abby sentit une immense joie l'envahir. Dieu sait qu'elle aimait son oncle. Mais, tandis qu'ensemble ils descendaient l'escalier circulaire, son regard se posa sur Russ qui se tenait debout devant la cheminée du salon, et elle oublia le reste du monde. Il était magnifique. Encore plus beau que la première fois qu'il lui avait fait l'amour.

Grant s'arrêta devant Russ et posa la main d'Abby dans la sienne.

— Aimez-la et prenez bien soin d'elle.

— Toute ma vie, répondit Russ, le regard enchaîné à celui de la jeune femme.

— Je t'aime, Russ.

— Moi aussi, mon cœur.

Et ainsi, Abby se lia au seul homme qu'elle ait jamais aimé.

Collection *Passion*

La Dynastie des *Ashton*

DÉCOUVREZ, EN AVANT-PREMIÈRE,

UN EXTRAIT DU TROISIÈME ROMAN

DE LA SAGA

UN MARIAGE CHEZ LES ASHTON
de Maureen Child

Ne manquez pas le 3e titre
de cette série inédite.

À paraître le 1er mars
3,50€ - SFr.6.-

Extrait de : *Un mariage chez les Ashton*
de Maureen Child

— Que veux-tu dire exactement par « la mariée n'est pas
là » ? demanda Megan Ashton en réprimant une soudaine
envie de sauter à la gorge de sa sœur Paige.

— Je veux dire qu'on ne parvient pas à la trouver,
répondit Paige dans un chuchotement précipité.

Ses yeux noisette lancèrent des regards affolés de tous
côtés, puis elle se pencha vers Megan et lui murmura à
l'oreille :

— On a cherché partout. En vain...

Megan dut faire un effort immense pour accueillir
la nouvelle sans rien laisser transparaître du tumulte
qui l'agitait intérieurement. Mais elle ne pouvait se
permettre de montrer son inquiétude. Elle accrocha un
sourire insouciant sur ses lèvres et hocha négligemment
la tête vers la poignée d'invités disséminés dans le petit
salon. Puis, saisissant Paige par le coude, elle l'entraîna
à travers la pièce vers les portes-fenêtres qui donnaient
sur une vaste véranda. Une fois hors de portée d'écoute,
elle se débarrassa de son casque de contrôle et se tourna
vers sa sœur :

— As-tu vérifié dans le jardin ?

Paige avala une grande bouffée d'air puis lança d'une
seule traite :

— Nous avons cherché partout. J'ai même jeté un œil
dans chacune des salles de bains du rez-de-chaussée. Elle
n'est nulle part, je t'assure !

Elle s'interrompit un instant pour reprendre son souffle,
puis, fixant sa sœur d'un air étrange, elle ajouta :

— Et si tu veux mon avis, elle ne reviendra pas.

— Que veux-tu dire ? s'exclama Megan.

Paige soupira.

— Elle a laissé sa robe de mariée.

— Non !

Megan combattit les premières vagues de panique comme elle l'aurait fait pour n'importe quelle autre désastreuse éventualité. En sa qualité d'organisatrice des galas et des autres événements mondains du Vignoble Ashton, elle n'avait jamais connu d'échec et il n'était pas question que ceci soit le premier. Elle s'obligea à prendre une grande respiration. Il suffisait de réfléchir, bien sûr, et vite.

Elle observa sa sœur cadette. Depuis toujours, Paige était considérée comme le « génie » de la famille Ashton. Elle avait fait de hautes études de commerce à l'université de Californie du Sud, avant de revenir à la maison pour participer à la gestion du domaine. Megan ignorait ce qu'elle aurait fait sans elle. Mais aujourd'hui, Paige était inquiète, et cela ne fit que renforcer le sentiment de panique de Megan.

Paige se mordilla la lèvre et croisa les mains sur la ceinture de sa simple jupe noire. Elle jeta un regard soucieux vers la salle où les invités attendaient le début de la cérémonie.

— Qu'allons-nous faire, maintenant ? murmura-t-elle.

— Surtout, ne pas paniquer, répondit Megan d'une voix qu'elle espérait convaincante.

— D'accord. Et comment fait-on ?

— Si je le savais ! s'écria Megan.

Des voix murmurèrent derrière elle et un crachotement s'échappa du casque qu'elle tenait toujours étroitement.

C'était un cauchemar, songea-t-elle. Des idées, des plans se présentèrent à son esprit qu'elle chassa tout de suite. Rien d'assez bien pour se tirer de ce mauvais pas. Bon sang ! enragea-t-elle. Quelle sorte de femme pouvait bien fuir son propre mariage quinze minutes avant la cérémonie ? Et qu'allait-elle bien pouvoir dire au marié ?

Comme si elle lisait dans ses pensées, Paige secoua la tête.

— Je ne veux pas être celle qui annoncera au marié que sa future épouse s'est évaporée.

Megan frémit. Simon Pearce, le fiancé multimillionnaire, n'était pas homme à prendre les choses à la légère. Il avait arrangé la cérémonie avec tout le soin et la diligence d'une invasion. Alors, apprendre que ses plans avaient avorté à la dernière minute… Comme pour s'aider à y voir plus clair, Megan commença à se masser les tempes, mais tout ce qu'elle obtint fut la transformation d'un début de mal de tête en une violente migraine.

Peut-être aurait-elle dû se douter que quelque chose clochait dans ce mariage, se dit-elle soudain. A bien y repenser, cela faisait plus d'un mois qu'elle réglait tous les détails avec Simon Pearce, et jusqu'à ce matin, elle n'avait encore jamais aperçu sa fiancée. C'était tout de même étrange… Mais prise par l'organisation, Megan n'y avait pas prêté attention.

Elle songea à la manière dont Pearce s'était comporté, et comprit tout à coup les raisons qui avaient pu pousser la jeune promise à prendre la poudre d'escampette. Car Simon Pearce était un homme tout à la fois superbe, irritant et brusque. Il lançait des ordres et s'attendait à voir les gens les exécuter au doigt et à l'œil. Il s'était occupé de tout. Il avait pris toutes les décisions concernant ce mariage… qui n'allait pas avoir lieu. Même si elle ne pouvait s'empêcher de se réjouir à l'idée que quelqu'un ait enfin eu l'audace de s'opposer à cet homme bien trop imbu de lui-même, elle ne se voyait pas pour autant lui annoncer qu'il venait de se faire plaquer !

— Oh, juste ciel ! murmura-t-elle, le visage offert au vent qui soufflait à travers le vignoble.

Le parfum de l'océan tout proche et la fraîcheur de la brise de mars parvinrent à rafraîchir un peu la tempête qui couvait sous son crâne. En revanche, elle eut le sentiment que rien n'aurait pu défaire le nœud dans son estomac.

Paige la tira de ses pensées. Elle se planta devant elle, se mit au garde-à-vous et s'écria :

— J'attends vos ordres, chef !

Megan réprima un sourire. Personne ne disait jamais à Paige ce qu'elle devait faire, et ce n'était pas aujourd'hui que cela allait commencer. Sans doute un trait propre aux Ashton, songea-t-elle, car elle-même n'acceptait pas mieux les ordres que sa sœur. Et leur père encore moins…

Megan ne put s'empêcher de repenser à la conversation qu'elle avait eue avec lui la veille. Spencer Ashton n'était vraiment pas le genre d'homme à obéir aux ordres. Ni à accepter qu'on refuse les siens…, songea-t-elle avec une pointe d'inquiétude. Mais ce n'était pas le moment de se faire du souci à propos de ce que son père lui dirait quand elle lui annoncerait qu'elle refusait la proposition qu'il lui avait faite. Non, pour l'instant, elle devait se tirer du mauvais pas dans lequel cette fichue mariée l'avait fourrée.

— Il y a forcément une solution ! dit-elle à Paige tout en faisant claquer ses talons sur les dalles polies. Et je vais la trouver ! De toute façon, il est impossible d'annuler : les plats chauds sont prêts, le gâteau est splendide, les musiciens sont en place depuis une demi-heure…

Elle leva les mains au ciel avant de les laisser retomber le long de son corps.

— Il y a des journalistes à l'extérieur, le pasteur tape déjà du pied et le marié doit être sur des charbons ardents. Dieu du ciel, gémit-elle, pourquoi cette stupide fiancée m'a-t-elle fait ça ?

— Hum, remarqua Paige, je suppose qu'elle ne pensait pas exactement à toi.

Sa sœur avait raison, songea Megan. S'énerver ne servirait à rien. Elle s'obligea à respirer lentement avant de revenir à son problème.

— Bon, finit-elle par dire d'une voix déterminée. Il faut agir.

— C'est-à-dire ?

— Va te mêler aux invités et bavarde avec eux. Et, je t'en supplie, n'arrête pas de sourire !

— Et ensuite ? demanda Paige en se détachant de la balustrade de pierre où elle était appuyée.

— Ensuite, poursuivit Megan en remettant son casque en place, tu attends.

Elle prit une longue inspiration. Elle n'avait pas le choix.

— De mon côté, annonça-t-elle, je vais aller parler au fiancé.

Ne manquez pas le 1er mars
Un mariage chez les Ashton
de Maureen Child
le troisième volume de la Dynastie des Ashton.

Le nouveau visage
de la collection Or

◆

AMOURS D'AUJOURD'HUI

Afin de mieux exprimer sa modernité et de vous séduire encore davantage, votre collection Or a changé de couverture et de nom depuis le 1er mars 1995.

Rassurez-vous, les romans, eux, ne changent pas, et vous pourrez retrouver dans la collection **Amours d'Aujourd'hui** tous vos auteurs préférés.

Comme chaque mois, en effet, vous y attendent des héros d'aujourd'hui, aux prises avec des passions fortes et des situations difficiles...

COLLECTION
AMOURS D'AUJOURD'HUI :
Quand l'amour guérit des blessures de la vie...

Chère lectrice,

Vous nous êtes fidèle depuis longtemps?
Vous venez de faire notre connaissance?

C'est pour votre plaisir que nous avons
imaginé un rendez-vous chaque mois
avec vos auteurs préférés, vos
AUTEURS VEDETTE dans les
collections Azur et Horizon.

Les **AUTEURS VEDETTE** vous
donneront rendez-vous pour de
nouveaux livres vedette.

Pour les reconnaître, cherchez
l'étoile... Elle vous guidera!

Éditions Harlequin

COLLECTION
HORIZON

Des histoires d'amour romantiques qui vous mènent au bout du monde!

Découvrez la passion et les vives émotions qu'apportent à la Collection Horizon des auteurs de renommée internationale!

Captivantes, voire irrésistibles, ces histoires d'amour vous iront assurément droit au coeur.

Surveillez nos trois nouveaux titres chaque mois!

69 L'ASTROLOGIE EN DIRECT
TOUT AU LONG
DE L'ANNÉE.

(France métropolitaine uniquement)
Par téléphone 08.92.68.41.01
0,34 € la minute (Serveur JET MULTIMÉDIA).

Composé et édité par les
*éditions*Harlequin
Achevé d'imprimer en janvier 2006

BUSSIÈRE
GROUPE CPI

à Saint-Amand-Montrond (Cher)
Dépôt légal : février 2006
N° d'imprimeur : 53054 — N° d'éditeur : 11893

Imprimé en France